MES HISTOIRES

JEAN
CHRÉTIEN

MES
HISTOIRES

Récits

LES ÉDITIONS **LA PRESSE**

Catalogage avant publication de Bibliothèque et Archives nationales du Québec et Bibliothèque et Archives Canada

Chrétien, Jean, 1934-, auteur
Mes histoires / Jean Chrétien.

ISBN 978-2-89705-705-3

1. Chrétien, Jean, 1934- - Anecdotes. 2. Canada - Politique et gouvernement - 1993-2006. 3. Premiers ministres - Canada - Anecdotes. I. Titre.

FC636.C47A3 2018   971.064'8092   C2018-941559-2

Président : Jean-François Bouchard
Directeur de l'édition : Pierre Cayouette
Responsable, gestion de la production : Emmanuelle Martino
Communications : Marie Thore

Éditeur délégué : Pierre Cayouette
Conception graphique : Célia Provencher-Galarneau
Montage : Audrey Guardia
Révision linguistique et correction d'épreuves : Laurie Vanhoorne
Photo de couverture : Fred Chartrand
Crédits photos : Toutes les photos sont de Jean-Marc Carisse/
(Fonds Jean Chrétien, LAC), (Fonds Jean-Marc Carisse, LAC)
et photos © Jean-Marc Carisse, à l'exception des photos suivantes :

   Cahier 1, photo 1 et cahier 2, photo 10 : collection personnelle de Jean Chrétien
   Cahier 1, photo 3 : Murray Mosher
   Cahier 2, photo 5 et 12 : Diana Murphy / Fonds Jean Chrétien / LAC
   Cahier 2, photo 13 : La Presse Canadienne / Jonathan Hayward
   Cahier 2, photo 15 : Ivanoh Demers / La Presse
   Cahier 2, photo 17 : Bruce Hartley

L'éditeur bénéficie du soutien de la Société de développement des entreprises culturelles du Québec (SODEC) pour son programme d'édition et pour ses activités de promotion.

L'éditeur remercie le gouvernement du Québec de l'aide financière accordée à l'édition de cet ouvrage par l'entremise du Programme de crédit d'impôt pour l'édition de livres, administré par la SODEC.

Nous reconnaissons l'aide financière du gouvernement du Canada par l'entremise du Fonds du livre du Canada (FLC).

LES ÉDITIONS **LA PRESSE**
Les Éditions La Presse
750, boul. Saint-Laurent
Montréal (Québec)
H2Y 2Z4

À mon épouse, Aline

À mes enfants,
France, Hubert et Michel

À mes petits-enfants,
Olivier, Maximilien, Philippe, Jacqueline et Katherine

À mes arrière-petits-enfants,
William, Gaia, Athena, Amédeo, Sacha et Ariane

SOMMAIRE

Préface de Joe Clark

Nous, les politiciens, sommes reconnus pour ce que nous avons accompli – ou pas – au cours de notre mandat, mais nous avons aussi une après-carrière qui, entre autres avantages, nous permet de revenir sur certaines situations que nous avons vues et vécues dans le cadre de nos fonctions officielles, ou après. Ces observations reflètent forcément le point de vue d'un individu, mais elles peuvent aussi offrir un contexte d'une valeur inestimable pour comprendre les décisions et les événements que d'autres connaissent de loin seulement. Tous les faits arides et lointains de l'Histoire sont constitués de récits, de récits humains, qui peuvent être aussi fondamentaux et enrichissants que l'événement lui-même. Les Canadiens peuvent s'estimer chanceux de pouvoir lire les réflexions de Jean Chrétien sur des êtres et des événements qui ont façonné notre histoire, cinquante-cinq ans après sa première victoire électorale à la Chambre des communes.

Conformément à une tradition aussi ancienne que la démocratie parlementaire, à la Chambre des communes, l'écart entre la banquette du parti au pouvoir et celle de l'opposition est de « deux épées et un pouce ». Cette distance symbolique favorise la confrontation et les débats animés sans être fatale ni pour les participants ni pour le pays. Pendant plus de deux décennies, Jean Chrétien et moi avons siégé l'un en face de l'autre au parlement, « à deux épées et un pouce » de distance.

Nous étions en profond désaccord sur certains sujets. Notre pomme de discorde la plus importante était probablement certaines dispositions de la Loi constitutionnelle qu'il a défendue en 1982 au cours de son mandat de ministre de la Justice. À titre de chef de l'opposition, j'ai forcé la tenue d'un très long débat parlementaire qui a permis d'obtenir des audiences publiques télévisées et un renvoi fructueux à la Cour suprême. Ces gains ont donné lieu à des amendements qui ont amélioré les propositions apportées à la Constitution canadienne. Au bout du compte, nous avons tous les deux voté pour l'adoption de ce qui a été appelé la « canadianisation » de la Charte des droits et libertés modifiée. Toutefois, nous sommes toujours en désaccord concernant les implications plus profondes sur l'unité et l'intégrité du Canada des changements apportés à notre Constitution au cours de cette période critique.

Un autre contexte exceptionnel nous a influencés, Jean Chrétien et moi : nous avons été élus pour diriger notre formation à une époque où les partis nationaux allaient généralement au-delà de leur base pour tenter d'embrasser et de comprendre le pays tout entier, l'ensemble de ses citoyens et des éléments qui le constituent. Nous sommes le produit d'une époque où les contacts avec les électeurs étaient directs, personnels. Nous échangions régulièrement sur des sujets controversés, et ces discussions sincères entre humains pouvaient tempérer l'emprise des conseillers, des sondeurs d'opinion, des groupes de pression avertis et des idéologues.

Cette confrontation avec la réalité nous échappe davantage aujourd'hui. L'écart entre les citoyens et les politiciens se creuse, à notre époque où les dirigeants interagissent avec les électeurs de façon plus souvent électronique que personnelle, ou lors de grands rassemblements où les participants sont passés au crible avant d'être admis. Ce n'est pas une plainte, mais bien la constatation que les dirigeants d'autrefois jouissaient d'un accès vital direct et privilégié à la vie, aux espoirs et aux craintes de leurs concitoyens.

Un avantage inattendu de la fonction de chef de parti est la franchise avec laquelle les citoyens nous racontent leur vie. Ils ne voteront peut-être jamais pour nous, mais ils savent que, un jour, nous pourrions prendre des décisions qui toucheront leur quotidien. Ils tiennent donc à nous sensibiliser à leurs problèmes et à leurs aspirations. Et si nous sommes ouverts d'esprit, nous pouvons retirer des connaissances précieuses de ces rencontres.

Au fil du temps, Jean et moi avons fini par découvrir que, dans notre climat mondial complexe, les dirigeants de différents pays peuvent se parler avec la franchise du citoyen qui s'adresse à un chef d'État. Il y a si peu de personnes avec lesquelles un président ou un premier ministre peut être franc qu'il se confie parfois à un homologue étranger, quand il y a de la chimie, bien entendu. «Le p'tit gars de Shawinigan» possède un charisme indéniable et ses réflexions sur les enjeux internationaux ajoutent une dimension additionnelle à notre compréhension des événements à l'échelle de la planète.

Nous, les Canadiens, demeurons pour la plupart «structurés» par l'endroit d'où nous venons (Shawinigan et High River, par exemple), mais notre «ville natale» ne constitue qu'une infime partie de l'époque, du pays ou du monde dans lesquels nous devons fonctionner. Cette situation présente un défi particulier pour les dirigeants politiques puisque notre profession nous oblige à assembler différentes communautés plutôt que de restreindre notre champ d'action.

Deux questions se posent alors. Premièrement, comment les chefs d'État s'informent-ils sur l'état de notre pays exceptionnellement varié et de notre monde complexe? Dans la mesure du possible, en y plongeant, en allant vers les autres et en étant ouverts d'esprit, à plus forte raison quand la tâche semble ardue. Nous connaissons tous l'échec, mais nous apprenons en grandissant.

La seconde question est la suivante: que peuvent nous apprendre nos anciens dirigeants?

Les historiens et les spécialistes des sciences sociales les plus réputés colligent une abondance de «faits» documentés et déterminants qui sont considérés comme objectifs. Toutefois, il va sans dire que la plupart de leurs précieuses évaluations sont le fruit d'un regard externe. Les anciens dirigeants, quant à eux, peuvent apporter de simples récits, mais aussi une réflexion et une perspective particulières sur le passé, à partir de l'intérieur.

Je ne peux me porter garant de la précision de chacune des réflexions qui constituent ce recueil. À titre de militant d'un parti lisant les mémoires d'un adversaire politique, j'en contesterais naturellement quelques-unes. Toutefois, mon rôle ici ne consiste ni à vérifier les faits ni à évaluer un pair. Je souhaite voir une large diffusion de ces histoires humaines de Canadiens.

Parmi ses qualités indéniables, Jean Chrétien est un conteur né. Quand il voit et entend quelque chose, il saisit des nuances qui pourraient échapper à une perception restrictive, et son instinct et son expérience viennent combler les lacunes.

Vous lirez dans ces pages les réflexions personnelles éclairées de Jean Chrétien sur des événements et des périodes significatives qui nous transportent au-delà de ce que nous savons. D'une grande humanité, elles aideront les lecteurs à enrichir leur compréhension de notre pays et du monde. En outre, elles sont souvent à l'opposé des textes soigneusement rédigés qui caricaturent aujourd'hui la politique et le gouvernement.

De nombreux politiciens rédigent des ouvrages en poursuivant leur route vers le pouvoir. D'autres revisitent les événements qui se sont déroulés pendant leur carrière. Quoi qu'il en soit, il n'y a pas de chef de parti sans un minimum de réinterprétation, de *spin*, mais à mon avis, les histoires dans les pages qui suivent vont au-delà de l'amour-propre et expriment une dimension plus intéressante que la simple ambition de son auteur. Son motif secret, s'il y en a un, consiste à transmettre certaines leçons apprises au cours des quatre-vingt-quatre années d'une vie qui est, à bien des égards, extraordinaire et fructueuse. Je salue mon ancien adversaire politique et je le remercie pour cet autre service rendu à notre pays… en restant à deux épées et un pouce de distance, bien entendu.

Avant-propos

Parfois, après un bon souper, je deviens volubile et je ne me fais pas prier pour raconter des épisodes de ma longue carrière politique. Un soir, mon petit-fils Olivier m'a dit que je devrais raconter par écrit toutes ces histoires et anecdotes qui sont toujours un mélange de sérieux et d'humour; et que si je ne le faisais pas, ça se perdrait. Je lui avais répondu que je n'étais pas un écrivain, mais que j'allais y songer.

À la même période, un ami m'avait donné un livre qui a été le déclencheur, la bougie d'allumage. En effet, après avoir quitté la vie politique, le 8e premier ministre du Canada, le conservateur sir Robert Borden, s'ennuyait de sa carrière et, pour se distraire, décida d'écrire des lettres du genre chroniques sur la vie politique et sociale du pays qu'il destinait en fait à lui-même et qu'il a conservées dans ses tiroirs. Plus d'une trentaine d'années après son décès, son petit-fils en a fait un livre très intéressant, publié sous le titre *Letters to Limbo*. J'ai trouvé que c'était un bon précédent et j'ai décidé de prendre ma plume pour partager ces souvenirs avec mes enfants, mes petits-enfants et mes arrière-petits-enfants. Au cours de la dernière année, j'ai occupé de nombreuses heures avec du papier, ma plume et mes souvenirs.

Enfin, je voudrais à la fois prévenir le lecteur et en appeler à son indulgence pour certains passages qui pourraient passer pour étranges ou dépassés si on les regarde avec les yeux d'aujourd'hui, mais qui reflètent simplement, selon moi, les rites, les mentalités, les valeurs et l'atmosphère de la société de l'époque.

Je n'ai écrit ni mes mémoires ni un livre d'histoire. En fait, je me suis amusé. Quand j'étais fatigué d'observer la dérive surréaliste du président Trump et d'écouter ses inepties, je retrouvais ma sérénité assis à ma table de travail. Aline et mes petits-enfants m'ont persuadé de faire un livre sans prétention autre que celle de peut-être divertir... Eh bien le voici !

Nous vivons à un moment où le sort de notre système démocratique libéral est intensément remis en question. Les autocraties semblent avoir le vent dans les voiles et trop de gens parlent désespérément et cyniquement de la capacité des pays démocratiques à fournir un bon gouvernement à leurs citoyens.

J'ai passé 50 ans de ma vie à faire de la politique en tant que député, ministre, chef de l'opposition et premier ministre. Au cours de cette période, j'ai développé une foi profonde dans les mérites de la démocratie canadienne.

J'ai été témoin de grands progrès dans notre société, où des élus d'horizons et de convictions politiques différents ont œuvré pour bâtir un Canada plus prospère, en meilleure santé, mieux éduqué et plus tolérant, fondé sur le respect de la loi et la protection des plus faibles.

Nous avons encore un long chemin à parcourir, mais le voyage vers la terre promise n'a jamais été conçu pour être une destination, mais plutôt simplement juste cela : un voyage.

Ce qui suit est une série d'observations, d'histoires, d'expériences et d'anecdotes, certaines sérieuses, d'autres moins. Cela reflète ma profonde gratitude pour l'occasion qui m'a été donnée de faire partie de ce grand voyage non pas pour rendre notre monde parfait, mais pour essayer de le rendre meilleur.

Il est écrit dans l'espoir que des gens de tous les âges le liront et le comprendront pour la richesse de la dimension humaine en politique, pour la noblesse de son but, pour la diversité de la société dans laquelle nous vivons et la force des liens humains qui nous unissent.

1

Un héros méconnu

Maintenant que j'ai davantage de temps à ma disposition, peut-être le moment est-il venu d'écrire un peu. Alors je me lance…

Le 17 décembre 1996, on apprend soudainement que des terroristes appartenant au groupe marxiste révolutionnaire Tupac Amaru ont pris en otage 300 personnes, dont trois ambassadeurs, à la résidence officielle du Japon à Lima au Pérou. Notre ambassadeur Anthony Vincent, que je connaissais depuis quelque temps, est l'un d'entre eux. Mes services me tiennent au courant et je suis avec préoccupation le développement de cette spectaculaire prise d'otages.

À un moment donné durant ce long siège de plus de cinq mois, les terroristes laissent sortir les trois ambassadeurs pour leur permettre d'aller négocier avec les autorités péruviennes avec la promesse de revenir à la fin de leur mission.

Donc, à la fin de leurs pourparlers avec les autorités péruviennes, les trois ambassadeurs doivent en principe retourner faire rapport aux terroristes demeurés à l'intérieur de la résidence du Japon. Finalement, seul l'ambassadeur canadien décide d'y retourner. Mais après discussion avec ses supérieurs à Ottawa, ceux-ci, voyant le grand danger que risque Anthony Vincent, lui disent qu'il doit en discuter avec moi, son premier ministre.

La conversation que j'ai eue à ce moment avec l'ambassadeur Vincent restera pour moi un souvenir émouvant jusqu'à la fin de mes jours. En cette soirée de janvier 1997, Anthony Vincent est au téléphone et, en peu de mots, très clairement et très calmement, il m'explique la situation. Il m'informe que ses deux collègues ont décidé de ne pas retourner à la résidence et que lui, au contraire, veut respecter la parole donnée, laquelle est aussi celle de son pays. Dans ces circonstances, il considère qu'il n'a pas le choix. Nous avons discuté encore quelques minutes et il m'a encore dit qu'il avait l'intention de retourner, à moins que je lui ordonne de ne pas le faire. Je lui ai dit que je respecterais sa décision. « Eh bien, m'a-t-il dit, je retourne à la résidence du Japon rencontrer les terroristes. » Je lui ai dit qu'il était un homme très brave et très honorable, que le Canada était fier de lui. J'ai enfin ajouté que je prierais pour lui et lui ai souhaité bonne chance.

Il est retourné faire rapport à ses geôliers. Il est encore ressorti et a encore tenu parole. Le tout s'est plutôt bien terminé, d'une façon à la fois spectaculaire et dramatique. La crise aura duré 126 jours, jusqu'à ce qu'un commando des forces armées péruviennes investisse la résidence du Japon à travers un réseau de tunnels construit au fil de cette longue prise d'otages. En tout, 72 otages ont été libérés à la suite de l'assaut qui, bien que largement célébré comme un succès, aura tout de même coûté la vie à un otage, deux membres du commando péruvien et tous les membres du groupe marxiste révolutionnaire Tupac Amaru.

Après cette incroyable aventure, Anthony Vincent est rentré au Canada pour continuer à servir son pays d'adoption. En 1998, le gouvernement lui donne une promotion bien méritée comme ambassadeur du Canada auprès du gouvernement espagnol à Madrid.

Malheureusement, il n'a pas pu poursuivre une carrière qui s'annonçait exceptionnelle, car la mort est venue le chercher prématurément, en 1999.

Quelles que soient les interprétations avancées sur le rôle précis de chacun des acteurs au fil de la crise des otages, pour moi, Anthony Vincent demeurera un héros inconnu qui a fait honneur à sa profession et à son pays. Plutôt que de débattre de la pertinence d'ériger un monument à la mémoire des victimes du communisme, mais pas du capitalisme, peut-être pourrions-nous nous entendre pour commémorer les héros inconnus comme Anthony Vincent.

2

Parce que du beurre, c'est du beurre…

Nous sommes en 1955. Les finissants du Séminaire de Trois-Rivières, dont je fais partie, se rendent au parlement à Québec pour visiter un célèbre ancien de notre établissement, le premier ministre Maurice Duplessis.

Une fois devant lui, chacun d'entre nous s'avance, décline son nom et tend la main. Quand vient mon tour, il me demande : « Quel est ton nom ? » Je lui réponds : « Jean Chrétien. » « Chrétien ? » dit-il. « Oui. » « Chrétien de Shawinigan… ? » « Oui. » « Ton père est Wellie Chrétien ? » « Oui, monsieur Duplessis. » « Ton grand-père était François Chrétien, maire de Saint-Étienne-des-Grès ? » « Oui, monsieur le premier ministre. » « Eh bien, t'es un "maudit rouge". » À partir de ce moment-là, j'étais devenu pour mes confrères un grand sympathisant du Parti libéral.

Le suivant à tendre la main à monsieur Duplessis fut mon ami Jean Pelletier, qui en s'exécutant lui dit ceci :

« Monsieur le premier ministre, je voudrais vous informer que votre alma mater ne respecte pas vos lois et nous force à manger de la margarine au lieu du beurre. Il agit donc illégalement. » Ce n'est pas possible, répond le premier ministre.

Alors, je sors de ma poche de veston de la margarine que nous avions soigneusement disposée dans un papier ciré et je donne le tout à monsieur Duplessis.

Immédiatement après la réunion, Duplessis envoie notre margarine au ministère de l'Agriculture pour la faire analyser par des experts.

Duplessis avait passé une loi qui rendait l'utilisation de la margarine illégale pour protéger les agriculteurs, car son utilisation causait une perte considérable aux producteurs de beurre. Comme Duplessis préférait protéger les fermiers, qui l'appuyaient en très grand nombre, plutôt que d'aider les consommateurs urbains, qui lui étaient nettement moins favorables, il avait décidé de rendre illégale la vente de ce produit partout sur le territoire du Québec. Mesure plutôt radicale, n'est-ce pas ?

Vous auriez dû voir la tête du « Chef » lorsqu'il a pris le petit colis dans ses mains. Quant à Pelletier et moi, nous étions plutôt fiers de notre coup !

Après avoir écouté « Maurice » pendant probablement une heure nous raconter toutes sortes d'histoires, nous étions très heureux d'avoir rencontré l'ancien étudiant le plus célèbre de notre collège. Peut-être qu'il était pour beaucoup d'entre nous trop conservateur, mais il était aussi un homme d'esprit charmant, cultivé et collectionneur de tableaux québécois. Ce fut une journée mémorable.

Vers la fin de l'après-midi, le ministre de l'Agriculture informa monsieur Duplessis qu'effectivement le produit qu'ils avaient analysé était de la margarine.

Immédiatement, le premier ministre téléphona à monseigneur Ouellette, le supérieur du Séminaire. Pelletier et moi aurions aimé entendre le sermon que Duplessis a dû servir au pauvre homme. Cela a sans doute été un moment très pénible pour un homme aussi digne et fier…

Le lendemain matin, quand Jean Pelletier et moi nous sommes assis pour prendre le petit déjeuner, quelqu'un est venu nous porter une demi-livre de beurre. Nous n'avons pas revu la fameuse margarine du reste de l'année. Parce qu'enfin du beurre, c'est du beurre et pas autre chose…

3

Les quatre piliers de la finance

QUAND BILL CLINTON ÉTAIT LE PRÉSIDENT DES ÉTATS-UNIS, il a changé de façon draconienne les règles qui gouvernaient le secteur financier de Wall Street.

C'est ce qu'on a appelé la grande déréglementation des services financiers.

Depuis l'époque du président Franklin Delano Roosevelt, les banquiers étaient des banquiers, les assureurs étaient des assureurs, les banques d'affaires étaient des banques d'affaires et les courtiers étaient des courtiers; aucune possibilité d'amalgame de ces quatre secteurs. Le feu vert de Clinton à Wall Street pour la déréglementation du secteur financier a déclenché d'énormes fusions et amorcé la mise en place des conditions qui allaient mener à la débâcle de 2008. Mais au début, c'était l'euphorie à New York et ailleurs dans le monde financier autour du globe.

Évidemment, les banquiers canadiens voulaient entrer dans la valse des immenses regroupements. Tout indiquait que si nous avions fait la même chose, seules deux ou trois banques du Canada seraient restées en piste à l'issue de l'opération.

Ceux de mes ministres reconnus comme proches des milieux d'affaires voulaient bien que nous fassions comme les Américains, mais je pensais au contraire que le maintien de ce qui était connu comme les quatre piliers de la finance, indépendants les uns des autres depuis les années 1930, nous avaient bien servis. Bay Street, ayant appris que j'étais le problème, avait délégué Matthew Barrett, chef de la direction de la Banque de Montréal, pour tenter de me faire changer d'idée. Je connaissais assez bien Matthew, et je trouvais ce Britannique très sympathique et aussi très compétent.

Nous nous sommes rencontrés au bureau du premier ministre sur la colline du Parlement, où il m'a expliqué en détail les multiples raisons pour lesquelles le gouvernement devrait selon lui permettre la fusion des banques.

« Il n'y a pas de grande banque canadienne qui puisse rivaliser avec les grandes banques américaines, anglaises, françaises, allemandes, suisses, japonaises… », m'a-t-il dit ! Et je lui ai répondu : « Comment se fait-il que les plus grandes au monde sont japonaises et qu'elles sont toutes en faillite ou à peu près ? », ce qui était le cas en 1999.

Après plusieurs minutes de discussion infructueuse, il m'a finalement servi l'argument ultime. « Monsieur le premier ministre, il faut que vous permettiez la fusion des banques, car c'est dans l'intérêt national du pays. » Ce à quoi j'ai répondu : « Si c'est dans le seul intérêt national du pays qu'il faut agir, eh bien, nous allons tous le faire ensemble. Nous, les ministres du gouvernement, travaillons tous dans l'intérêt national uniquement, et nous le faisons à salaire bien moindre que celui des présidents des banques, et sans options en récompense. Alors, si nous le faisons, vous, les banquiers, le ferez comme nous et sans exercer une seule de vos options. Ce sera fait seulement dans l'intérêt national pour tous ! » Je pense qu'il ne m'a pas trouvé drôle, et il est reparti très déçu informer ses amis de ma décision, laquelle était finale.

Après la débandade des services financiers d'octobre 2008, les banques canadiennes sont devenues les étoiles du secteur dans le monde entier.

Depuis ce temps, je me plais à dire à ces présidents de banque qui reçoivent des compliments de partout pour la bonne performance de leurs institutions que je suis très heureux pour eux. Et j'ajoute qu'ils ne disent probablement pas à leurs interlocuteurs que leur succès est dû au gouvernement qui les avait empêchés de se jeter en bas du pont !

Sans doute n'auraient-ils pas fait les profits anticipés s'il y avait eu un amalgame et qu'ils avaient exercé leurs options. Leurs épargnes personnelles sont moins spectaculaires, mais le pays et son secteur financier, eux, se portent très bien…

4

Tony Blair et la guerre en Irak

À LA FIN DU MOIS D'AOÛT 2002, J'AVAIS PASSÉ PLUS D'UNE heure et demie avec le président des États-Unis George W. Bush, à Detroit, à discuter de la nécessité de déclarer la guerre à l'Irak de Saddam Hussein.

Son principal argument tournait autour de la grande quantité d'armes de destruction massive qu'aurait possédées Saddam et qu'il avait d'ailleurs utilisées contre les Kurdes dans le nord-ouest de l'Irak.

J'étais d'avis que les preuves de possession de ces armes terribles n'étaient pas très convaincantes et que, de toute façon, il fallait obtenir l'approbation des Nations unies avant de procéder, sinon le Canada et bien d'autres pays ne pourraient pas l'appuyer.

Quelques semaines plus tard, à une réunion du Commonwealth en Afrique du Sud, après la session de l'après-midi,

Tony Blair et moi sommes allés prendre une bière au bar de l'hôtel et en avons profité pour avoir un tête-à-tête. Il a saisi l'occasion pour tenter de me convaincre de les soutenir, lui et George W., dans leur volonté de s'engager dans une guerre contre l'Irak.

Ce qui m'avait surpris le plus dans la conversation, c'est qu'au lieu de concentrer son argument sur les armes de destruction massive, comme le faisait George W., Blair insistait plutôt sur le fait qu'il fallait absolument se débarrasser de Saddam Hussein parce que c'était un impitoyable tyran et il m'abreuvait d'exemples pour établir l'ampleur des horreurs dont il était coupable.

Je lui avais répondu que si nous commencions à nous débarrasser de tous ceux dont nous pensons qu'ils sont indignes de diriger leur pays, peut-être que lui et moi devrions d'abord regarder dans la famille du Commonwealth. Ainsi, raisonnablement, il faudrait sans doute intervenir au Zimbabwe pour mettre Mugabe dehors avant d'aller en Irak y chasser Saddam.

Il me répondit aussitôt qu'il y avait une énorme différence entre Saddam et Mugabe. «Tony, lui répondis-je, il y a effectivement une énorme différence entre les deux : Mugabe, lui, n'a pas de pétrole.» Il était devenu blanc, furieux contre moi et, pendant de longs mois, nos rapports n'ont plus été les mêmes.

Ce que je trouve triste dans cette affaire, c'est le prix énorme qu'il a dû payer dans son propre pays pour cette décision désastreuse, lui qui selon moi avait été un très bon premier ministre. Dans ses années de pouvoir, il avait en effet fait rayonner la Grande-Bretagne dans le monde d'une façon exceptionnelle. Il aura finalement quitté son poste au milieu d'une immense controverse qui 14 ans plus tard le hante encore.

Je trouve ça dommage, car le métier de politicien n'est pas seulement exigeant; il peut également se révéler très dur et parfois même ingrat. Il faut savoir quand on décide de s'y lancer qu'il faudra vivre avec le poids de nos décisions bien longtemps après la retraite… jusqu'à la fin de nos jours, en fait.

5

Mon roc de Gibraltar

LES COMMENTATEURS NE COMPRENNENT PAS TOUJOURS LE rôle, la plupart du temps obscur et pourtant parfois déterminant, que jouent les conjoints dans le choix des politiques mises en avant par un premier ministre. Dès le tout début de ma carrière politique, Aline s'est tenue à mes côtés, alors qu'elle n'avait que 26 ans. Elle a toujours eu une influence énorme sur les décisions que j'ai dû prendre durant mes quarante années de vie politique. Ce n'est pas pour rien que je disais à son sujet qu'elle était mon roc de Gibraltar.

Par exemple, durant la période préparatoire du budget de 1995, ce fameux exercice de compressions qui nous a permis d'équilibrer le budget fédéral pour la première fois depuis des décennies, les fonctionnaires du ministère des Finances proposaient d'amalgamer les revenus des conjoints pour établir lequel se qualifierait pour recevoir la pension de vieillesse. Ce qui voulait dire, par exemple, que si un mari avait un revenu très élevé, son épouse ne recevrait pas le chèque de quelque 400 $ par mois. Ainsi, beaucoup d'épouses ne travaillant pas à l'extérieur de la maison perdraient ce chèque mensuel du gouvernement canadien qui représentait souvent leur seul et unique revenu personnel.

Au cours d'un souper avec un couple d'amis, je fis part à Aline et à son amie de l'intention du ministre des Finances de mettre cette mesure qui m'inquiétait dans le budget. La réaction des deux femmes fut rapide et sans ambiguïté. « C'est tout simplement stupide, m'ont-elles dit. Quelle injustice pour toutes ces femmes qui sont restées à la maison pour élever leurs enfants et prendre soin des leurs ! Elles attendent toutes avec joie ce moment du mois où elles reçoivent enfin quelques dollars bien à elles qu'elles peuvent dépenser comme elles le veulent. Inviter une amie à prendre un gâteau et un café au restaurant, acheter un chapeau, etc., et tout ça sans avoir à demander de l'argent à leur mari. Vous ne savez pas, vous les hommes, comme c'est désagréable de toujours avoir à demander... Les autres maris ne sont pas tous aussi gentils que vous deux », etc., etc.

Je dois dire que je me suis enfoncé dans mon fauteuil, et j'ai humblement ramassé cette volée de bois vert de ces deux femmes qui avaient la possibilité de dire au gouvernement directement ce qu'elles pensaient sans ambiguïté. Dès le lendemain, j'informais le ministre des Finances que non, cette proposition ne pouvait se retrouver dans le budget.

Mon ministre des Finances n'était pas très heureux de ma décision et m'envoya son conseiller Peter Nicholson, un samedi au 24 Sussex, pour m'expliquer son mécontentement. Le budget allait bientôt être mis sous presse et ils attendaient mon approbation. Nicholson m'informait que Martin avait besoin de cette mesure pour être à l'aise avec son budget et qu'il pourrait avoir à démissionner si je n'acquiesçais pas à sa demande. J'avais alors dit à Peter : «J'ai toujours rêvé d'être mon propre ministre des Finances et je serais heureux de lire le budget moi-même.»

Non seulement le ministre des Finances n'a pas démissionné, mais encore a-t-il continué pendant sept autres années à remplir ses fonctions, comprenant très bien au bout du compte que le premier ministre a toujours le dernier mot.

Un autre exemple où l'intervention d'Aline a été déterminante dans ma carrière politique fut lors du Congrès bisannuel du Parti libéral en l'an 2000. J'avais décidé après l'élection de 1997 qu'après quatre autres années comme premier ministre je quitterais la vie politique à l'âge respectable de 66 ans. Aline était complètement d'accord, car elle trouvait que 37 ans de vie publique, c'était assez pour moi et encore plus pour elle. Je n'avais pas annoncé publiquement ma décision de quitter la vie politique et, comme le taux de popularité de mon gouvernement demeurait élevé, les partisans qui voulaient que je reste aux affaires étaient nombreux. Par contre, d'autres considéraient ma tâche comme accomplie et croyaient qu'il était temps de passer la main.

Ainsi, durant le congrès à Ottawa, certains impatients avaient fait des gestes qui avaient déplu à Aline et qu'elle jugeait inappropriés et irrespectueux, considérant nos très longs états de service public depuis 1963. Au sortir du congrès, avec un soutien sans équivoque de la très grande majorité des délégués, Aline et moi sommes allés remercier un groupe de mes principaux collaborateurs, dont plusieurs disaient qu'il me fallait faire un troisième mandat. Je leur avais dit que je ne le ferais pas, car j'avais promis à Aline de prendre ma retraite à la fin de 2001, point final. Enfin, Aline s'est excusée, car elle devait retourner au 24 Sussex pour recevoir les délégués de ma circonscription de Saint-Maurice et m'avait recommandé de ne pas trop tarder, car nos invités devaient retourner à Shawinigan.

Aline est donc sortie de la pièce où nous nous trouvions en fermant la porte derrière elle, pour réapparaître soudainement en gardant sa main sur la poignée. Et, en nous regardant tous, elle a dit à voix haute «*four more years*» (quatre autres années). Quelle surprise! Dans la stupéfaction générale qui a suivi, tous se sont levés spontanément pour lui donner une ovation enthousiaste. C'est ainsi que j'ai décidé de ne pas démissionner et de me lancer plutôt à la conquête d'un troisième mandat, lequel fut pour moi le plus satisfaisant.

À partir de décembre 2000 jusqu'à ma retraite en décembre 2003, un sondage mensuel de la maison Gallup a toujours crédité le Parti libéral de 50 à 60 % des intentions de vote. Le temps est peut-être enfin venu pour moi de remercier les impatients «martinites» d'avoir indisposé Aline, car, par exemple, sans eux, nous serions allés à la guerre en Irak.

6

G7 et OTAN : d'un sommet à l'autre

Un des aspects les plus intéressants du travail de premier ministre sur le plan international, c'est la participation aux réunions du G7 et de l'OTAN.

Quelques semaines après mon assermentation, je me suis retrouvé au sommet de l'OTAN à Bruxelles, le 9 janvier 1994. C'était au plus fort du conflit dans l'ancienne Yougoslavie et nos troupes étaient coincées dans l'enclave de Srebrenica. Comme c'était le point le plus chaud du conflit, les Américains et les Britanniques proposaient des bombardements intensifs à cet endroit, ce qui mettait en danger la vie de nos soldats déployés au sol, lesquels avaient déjà dépassé la durée entendue de leur mandat. Nous attendions de connaître quels seraient les prochains qui viendraient les remplacer comme gardiens de la paix dans cette partie de la future Bosnie.

Bill Clinton et John Major insistaient énormément et nous, les Canadiens, croyions qu'il était préférable de ne pas bombarder, d'autant plus que les jours avant le départ de nos soldats étaient maintenant comptés. Comme les décisions de l'OTAN se prennent presque toujours à l'unanimité, j'ai maintenu mon objection et j'ai même dit à Bill Clinton que s'il tenait absolument à bombarder, qu'il le fasse là où il y avait des soldats américains. Or nos voisins du Sud n'avaient envoyé aucune troupe sur le terrain du conflit à cette date. Je crois que Bill n'était pas très content quand je lui ai dit qu'il était « prêt à se battre jusqu'au dernier soldat canadien ».

Par contre, il apprécia davantage ma collaboration lors du sommet de l'OTAN à Madrid en juillet 1997. La veille de l'ouverture de la rencontre, j'étais arrivé à la réception de l'hôtel où nous logions et j'ai aperçu dans un coin Bill et Hillary Clinton en discussion avec Jacques Chirac. L'atmosphère semblait tendue; ils avaient tous l'air très soucieux, sans l'ombre d'un sourire sur leur visage. Lorsque le président français quitta les Clinton, Bill me fit signe de venir les rejoindre. Le problème qui les tiraillait était plutôt compliqué parce que tous les pays de l'ancienne Union soviétique voulaient se joindre à l'OTAN. Chirac était d'avis qu'il fallait agir rapidement et il insistait pour en accepter neuf immédiatement. J'étais plutôt d'accord avec lui. Par contre, Clinton croyait qu'il fallait procéder plus lentement, car il avait peur que Eltsine, le président de la Russie, soit très fragilisé si le tout se passait trop vite, et j'ai finalement reconnu qu'il avait peut-être raison. Il m'a dit: « Il faut que vous, les Canadiens, nous trouviez une solution. » Je lui ai dit que j'allais y penser pendant la nuit et que je verrais Chirac avant la session du matin.

La situation était difficile pour Chirac, qui venait de perdre les élections législatives dans son pays, ce qui le forçait à composer avec un gouvernement d'une autre famille politique que la sienne. Le ministre des Affaires étrangères qui l'accompagnait était Hubert Védrine, nommé par le nouveau premier ministre socialiste Lionel Jospin. Le président français ne pouvait reculer facilement dans les circonstances. Lorsque l'épineux sujet est venu à l'ordre du jour, j'ai prétendu que le communiqué en français était différent de celui en anglais, et qu'il fallait donc le refaire. Tout le monde a compris la manœuvre et Clinton a demandé à l'assemblée de mandater le secrétaire général de l'OTAN, Javier Solana, et moi-même pour rédiger un nouveau texte durant l'ajournement du déjeuner. Ma suggestion était que nous acceptions immédiatement la Pologne et la République tchèque; puis la Roumanie et la Slovénie; et enfin, les trois pays baltes, le tout étalé sur une période de plusieurs années. Les Canadiens ont participé à la rédaction et le tout fut approuvé à la fin de la session de l'après-midi.

En sortant, Clinton a gentiment dit à mon personnel que j'étais un très bon législateur. De son côté, Jacques Chirac, en prenant un verre avec son vieux copain Jean Pelletier, tous deux dirigeants fondateurs de l'Association internationale des maires francophones pendant de nombreuses années, lui a avoué qu'il s'était «peinturé» dans le coin et que son ami Chrétien l'en avait sorti. Ce qui prouve que l'usage de deux langues officielles peut parfois se révéler très utile dans des circonstances inattendues.

7

Fais ce que dois !

Tout le monde dit que si vous faites quelque chose de populaire durant votre mandat, les gens s'en souviendront et seront heureux de vous remercier en votant pour vous à l'élection suivante. Mon expérience me dit que c'est loin d'être toujours vrai, et ceci devient parfois une occasion de faire preuve d'une certaine humilité.

À l'élection d'octobre 1993, mon parti avait eu un succès bœuf dans les provinces maritimes en gagnant 31 des 32 circonscriptions de l'époque. J'en étais très fier et saisis en 1995 l'occasion de montrer d'une façon très visible mon appréciation. Le Canada était l'hôte du G7 et nous avions des villes qui souhaitaient recevoir les chefs d'État et de gouvernement des États-Unis, de la France, de la Grande-Bretagne, de l'Allemagne, du Japon et de l'Italie. En plus, j'avais convaincu mes collègues d'ouvrir notre réunion au Russe Boris Eltsine et, ce faisant, de convertir le G7 en G8.

Pour remercier les électeurs de la Nouvelle-Écosse, où nous avions raflé toutes les circonscriptions, j'ai donc choisi la ville d'Halifax, laquelle se révéla par ailleurs un très bon choix. L'atmosphère était au beau fixe, les installations d'accueil étaient excellentes, les dirigeants des pays du G7/G8 qui arrivaient à l'aéroport militaire de Dartmouth le faisaient en bateau, ayant pour la plupart fait la traversée du magnifique port d'Halifax. Ils étaient accueillis par des foules enthousiastes sur les quais de la capitale de la Nouvelle-Écosse. Ce fut le sommet du G7 le plus détendu des dix auxquels j'ai participé. Fait inusité, les chefs d'État et de gouvernement s'étaient librement mêlés à la foule dans les rues d'Halifax, et le tout s'était terminé par un magnifique spectacle du Cirque du Soleil. Bien sûr, c'était bien avant septembre 2001, et les tours jumelles étaient toujours debout...

J'ai été vraiment frappé lorsqu'un des travailleurs du Cirque m'avait dit qu'il aimerait rencontrer le premier ministre britannique John Major, car son père avait été un compagnon et ami du père de John alors que tous deux travaillaient pour un cirque dans leur jeunesse. Qui eût cru que le père du premier ministre de Grande-Bretagne avait fait carrière dans le cirque ?!

Cette semaine-là avait fait d'Halifax la ville vedette du monde grâce au déroulement impeccable de cet important sommet au centre de l'attention internationale. J'étais évidemment ravi de ce grand succès et également convaincu qu'aux prochaines élections fédérales, les gens de la belle ville d'Halifax et ceux du reste de la population néo-écossaise nous appuieraient pour nous remercier. Eh bien, absolument pas !

Lors des élections de juin 1997, quelle ne fut pas ma surprise le soir du scrutin de voir s'envoler la totalité des onze circonscriptions remportées en 1993.

Ceux qui comme moi croyaient que nous allions récolter les remerciements des électeurs de la Nouvelle-Écosse ont été déjoués dans leurs calculs. J'en ai retenu que les électeurs sont plus prompts à manifester leur déception que leur gratitude quand l'occasion leur en est donnée. Il est clair qu'ils n'avaient pas digéré la récente réforme de l'assurance chômage et que l'immense succès de ce premier sommet de facto du G8 n'avait pas eu de poids dans leur décision.

Heureusement, lors de ma dernière élection en 2000, ces mêmes électeurs se sont ravisés en nous donnant huit victoires sur un total possible de onze dans la province. J'en ai conclu qu'en politique et dans la vie en général, il est plus important de faire ce que dois en toutes circonstances.

8

Une grande victoire diplomatique

Durant ma longue carrière en politique, je suis allé très souvent dans la province de Terre-Neuve-et-Labrador, et je dois dire que je m'y plaisais particulièrement. Le paysage est toujours extrêmement beau, avec ses fjords majestueux, ses rivières rapides et spectaculaires et surtout sa population très vivante et simple. Y faire campagne n'était pas du travail pour moi ; c'était comme visiter des cousins qui étaient heureux de me recevoir. Comme les Terre-Neuviens sont des gens très colorés, il m'est arrivé toutes sortes d'anecdotes intéressantes, mais j'en ai retenu une en particulier pour aujourd'hui.

Pendant la période électorale de 1993, j'ai fait face au problème de la surpêche de la morue. Le gouvernement d'alors avait été obligé d'établir un moratoire sur la pêche à la morue nuisant encore un peu plus à l'économie déjà faible de cette province qui était la plus pauvre de la Confédération. Le droit international reconnaissait au Canada la souveraineté sur une zone de 200 milles au-delà de nos côtes. Nous avions légalement l'entier contrôle de la pêche dans cette zone. Personne au Canada ne pouvait aller y pêcher la morue, mais des bateaux de pêche espagnols et portugais venaient tout juste à l'extérieur de nos eaux territoriales dans cette fameuse zone de 200 milles de la côte et continuaient, eux, à pêcher la morue sans retenue, ce qui de fait invalidait le moratoire canadien.

Les pêcheurs canadiens ne pouvaient pêcher pour permettre aux stocks de poissons de se reconstituer, mais ce sacrifice était annulé par la pêche illégale des Espagnols et des Portugais. Mon impétueux compagnon d'armes Brian Tobin nous a convaincus de promettre que nous allions prendre les moyens pour arrêter cette situation injuste.

Tobin, devenu mon ministre des Pêches, prit le dossier en main et les Espagnols et les Portugais ont été avisés qu'ils devaient suivre l'exemple des Canadiens pour permettre le retour de la morue dans les eaux du plateau continental qui s'étend à plus de 200 milles.

Ce fut une querelle homérique. Refus des étrangers d'arrêter la pêche. Menaces de saisir leurs navires. Crise diplomatique avec la Commission européenne, le Portugal et l'Espagne ; débat aux Nations unies ; division au sein du Cabinet canadien : les ministres des Affaires étrangères et de la Défense nationale contre celui des Pêches.

Je croyais que les pays riverains avaient le devoir de protéger la pêche jusqu'à la limite des 200 milles de la côte. Mais comme le plateau continental s'étendait au-delà des 200 milles, pour faire le travail nécessaire à la préservation de la ressource, il nous fallait prendre tous les moyens et même plus pour y arriver, et j'appuyais entièrement Tobin.

Cela a donné lieu à l'épisode mal nommé de la «guerre du turbot», où la garde-côtière canadienne a fini par arraisonner de force le navire espagnol *Estai*. Des tractations dans un climat tendu à Bruxelles auront permis de dénouer la crise à l'époque.

Devant la pêche illégale de pêcheurs espagnols et portugais, il nous fallait agir avec fermeté, et j'avais convoqué une séance spéciale du Cabinet pour le vendredi de la semaine sainte. Comme le Parlement ne siégeait pas cette semaine-là, je faisais une tournée avec Aline dans l'Ouest canadien. En rentrant à la maison plutôt fatigués de cette tournée, Aline m'avait dit: «Enfin, nous allons pouvoir nous reposer, car c'est la fin de semaine de Pâques; jusqu'à mardi, nous n'avons aucune sortie au programme.» Je lui avais répondu: «Je ne suis pas si sûr que ce sera le repos que tu espères, car demain je déclare la guerre à l'Espagne!» Bien sûr, je disais ça un peu à la blague, mais la pauvre Aline a pris ça au sérieux. Je lui avais expliqué la situation tendue avec l'Espagne, mais dans le fond je ne croyais pas à une escalade incluant l'usage de la force. Quand j'ai quitté la maison pour me rendre à la réunion du Cabinet, Aline m'a dit qu'elle n'avait pas dormi de la nuit. Moi qui avais simplement voulu faire une blague, je me suis excusé. Elle ne m'avait pas trouvé très drôle, avec raison. Souvent, la vie politique est plus dure pour l'épouse et les enfants que pour le premier ministre lui-même.

La controverse diplomatique de notre décision avait été énorme. Non seulement nous nous étions mis les gouvernements espagnol et portugais à dos, mais toute la communauté européenne et même américaine ne voyait pas d'un bon œil ce défi à l'ordre qui existait depuis quelques décennies. Le tout fut finalement amené devant l'Assemblée générale des Nations unies. Brian Tobin était le porte-étendard du Canada en la matière et il fut chargé de défendre notre position devant le Conseil général à New York. Lors de l'arraisonnement de l'*Estai* par notre garde côtière, les marins espagnols avaient laissé tomber leurs filets au fond de la mer, mais nos agents avaient réussi à les récupérer. Ils ont vite compris pourquoi les marins espagnols avaient agi ainsi. À l'intérieur du filet réglementaire, il y avait un autre filet aux mailles beaucoup plus petites, chose complètement interdite selon les règles internationales partout dans le monde. Tobin avait décidé d'exhiber les filets fautifs qu'il avait fait hisser à l'aide de deux grues sur les quais derrière le siège principal des Nations unies. C'était un geste tout à fait spectaculaire, à la mesure du flamboyant Tobin ; un geste auquel toutefois le ministère des Affaires étrangères s'était opposé. Tobin avait dû m'appeler pour me demander la permission. Je trouvais ça très intéressant, mais il y avait un danger de fiasco spectaculaire. J'avais donc permis à Tobin d'appliquer son plan, mais à ses risques et périls. Il était entendu que si c'était un « flop », il en paierait le prix. La commissaire responsable des pêcheries pour la Commission européenne, Emma Bonino, s'était lancée dans une attaque furieuse contre le Canada et, lorsque ce fut le tour de Tobin, il a tout simplement été brillant dans sa réplique. Enfin, lorsqu'il a invité tout le monde à aller voir les filets exhibés sur les quais à l'arrière des immenses immeubles du célèbre siège social, ce fut un coup de massue et le point final du débat. Madame la commissaire a repris l'avion aussitôt pour Bruxelles.

Peter Jennings, un Canadien qui était alors le plus populaire des journalistes de nouvelles télévisées aux États-Unis, m'avait dit que le déploiement des filets hauts de dix étages sur le bord de la mer à New York avait été le coup de théâtre le plus spectaculaire qu'il ait jamais connu. De mon côté, plutôt nerveux au début relativement à cette façon de faire peu orthodoxe, j'avais chaleureusement félicité mon ami Brian avec beaucoup de satisfaction.

Après des palabres qui ont duré des mois et impliquaient les Nations unies, la Commission européenne et tous les pays qui avaient des intérêts dans la pêche en haute mer, le droit international a été modifié et, depuis, les pays dont les plateaux continentaux s'étendent au-delà de la zone limite des 200 milles ont le pouvoir de faire respecter les mêmes règles de protection des espèces sur le plateau continental excédentaire. Tout compte fait, ce fut une grande victoire diplomatique pour le Canada. Ce qui avait commencé par une promesse électorale difficile à réaliser s'est terminé par un changement du droit international.

La persistance d'un ministre déterminé a permis au Canada de remporter une victoire éclatante sur la scène mondiale. Merci, mon ami Brian !

Par la suite, même avec des mesures de surveillance satellitaires sophistiquées, la situation est demeurée préoccupante avec des navires voyous qui ont continué à jouer au chat et à la souris avec les autorités de surveillance en louvoyant entre les eaux internationales et celles interdites de pêche. Toutefois, ce qui avait changé, c'est que le monde entier savait maintenant que le gentil Canada n'hésiterait pas à montrer les dents quand il s'agirait de défendre légitimement le gagne-pain de ses pêcheurs.

9

L'affaire Guibord

Depuis quelques années, au Québec et même ailleurs au Canada, la religion est de nouveau à l'avant-scène du débat politique. Le débat au Québec sur les accommodements raisonnables a peut-être pris son départ non loin de chez moi, à Hérouxville, un petit village bien tranquille où jamais un musulman n'a vécu. Le fameux règlement municipal qui a fait couler tant d'encre a été proposé par un citoyen qui avait travaillé en Arabie saoudite et, semble-t-il, voulait plus ou moins s'amuser. Il fut lui-même le plus surpris du monde d'être soudainement sollicité par des groupes et des journalistes de partout dans le monde et d'aussi loin que l'Australie.

Ceci m'amène à vous parler de l'affaire Guibord, qui nous avait était enseignée en droit paroissial par le notaire Giroux, beau-frère du cardinal Maurice Roy de Québec. Il fallait entendre ce petit homme aux cheveux en bataille, beau-frère du cardinal, s'attaquer à l'Église catholique avec des envolées si efficaces qu'elles suscitaient chez nous des ovations spontanées. Pour nous, diplômés du séminaire avec un B. A. instruits pendant des années par des professeurs qui étaient tous des prêtres, le tout était absolument impayable.

Dans les années 1890, existait au Québec l'Institut canadien, dont les membres étaient plutôt radicaux à l'époque puisqu'ils combattaient les ultramontains en préconisant la séparation absolue de l'Église et de l'État, le libéralisme économique et politique de l'Europe, qui était proscrit par l'Église, et d'autres éléments controversés de l'époque. À la fin du XIXe siècle, le tout était très sérieux et important pour beaucoup de monde. D'ailleurs, il existe non loin de l'Assemblée nationale, dans la Haute-Ville de Québec, un immeuble assez important que je fréquentais quand j'étudiais à l'Université Laval et qui portait le nom d'Institut canadien.

Parfois, les plus vocaux étaient excommuniés. Ce fut le cas de ce pauvre Joseph Guibord, membre de la division montréalaise de l'Institut canadien. À sa mort, sa famille a voulu le faire enterrer dans le lot familial au cimetière catholique de Montréal, mais l'évêque du diocèse, monseigneur Ignace Bourget, s'y était opposé. Quelle controverse! La famille a donc fait ensevelir la dépouille mortelle de Guibord au cimetière protestant de la ville et a engagé une poursuite en cour contre l'évêque de Montréal. Le juge de première instance a donné raison à la famille Guibord et ordonné au diocèse de laisser entrer le corps du membre excommunié afin qu'il y soit enseveli avec les autres membres de sa famille.

Ce fut une controverse incroyable quand le clergé a refusé d'obéir au jugement de la cour. De leur côté, les autorités civiles ont décidé de faire respecter ce jugement, ce à quoi des catholiques furieux ont répondu en bloquant l'entrée du cimetière. L'armée a dû intervenir afin que le fameux Guibord puisse enfin reposer avec ses parents au cimetière catholique de Montréal, mais pas encore pour l'éternité.

En effet, l'évêque en colère a décidé d'en appeler du jugement de la Cour de première instance à la Cour d'appel du Québec, qui a annulé la décision. Alors, on a déterré pour la deuxième fois le cercueil et on a renvoyé le pauvre Guibord chez les protestants. Mais ce n'était toujours pas le point final de l'histoire.

Comme il n'y avait pas de Cour suprême au Canada à l'époque, la famille et les amis de Guibord ont décidé de porter leur cause en appel au Conseil privé de Londres. Eh bien, alors, ce qui devait arriver arriva… Le Conseil privé a annulé la décision de la Cour d'appel du Québec et le diocèse de Montréal a dû se conformer à la décision du plus haut tribunal d'alors. Le cercueil du pauvre Guibord fut sorti de terre pour la troisième fois et remis en terre pour la dernière dans le lot de la famille au cimetière catholique, cette fois pour toujours. On me dit que l'évêque a fait monter une clôture autour du terrain des Guibord et déclaré que cette enclave ne faisait plus partie du cimetière. C'est peut-être vrai, mais je n'arrive pas encore à y croire.

L'Église a finalement dû se soumettre aux décisions des cours. Bravo pour l'indépendance des tribunaux, l'un des contre-pouvoirs absolument essentiels au bon fonctionnement d'une démocratie qui se respecte. Qu'on le veuille ou non, la religion a toujours fait partie intégrante du débat politique partout dans le monde. Aujourd'hui, au Québec, la laïcité se pratique comme la nouvelle religion.

10

Chanter devant la famille royale

Lorsqu'en 2009 la reine Élisabeth II m'a généreusement octroyé l'Ordre du Mérite, beaucoup de gens ont été surpris, car je devenais ainsi le quatrième Canadien seulement à l'obtenir depuis la fondation de cet Ordre, en 1902. Deux autres sont également d'anciens premiers ministres du Canada, William Lyon Mackenzie King et Lester B. Pearson (après avoir reçu le prix Nobel de la paix), et le troisième est le docteur Wilder Penfield, directeur fondateur de l'Institut neurologique de Montréal.

Comme le choix des candidats est la prérogative de la reine, la citation faisait de mes 40 années de vie publique la principale raison de son choix. C'est à l'occasion des fêtes du centenaire du Canada, en 1967, que j'ai eu le privilège de côtoyer Sa Majesté pour la première fois, et je suis probablement l'homme public canadien qui a eu à travailler avec elle le plus souvent par la suite.

Alors que j'étais ministre des Affaires indiennes et du Nord canadien, Aline et moi avons eu la tâche d'accompagner la reine, le prince Philip, le prince Charles et la princesse Anne pendant quatre jours dans les Territoires du Nord-Ouest à l'occasion du centenaire de ce territoire allant de la baie de Frobisher, aujourd'hui Iqaluit, jusqu'à Fort Providence. Chaque jour, je voyageais pendant des heures avec la reine et le prince Philip dans un avion, et comme le prince héritier ne voyage jamais dans le même avion que sa mère, Aline faisait de même dans un autre avion, avec Charles et Anne.

Le plus souvent, la reine souhaitait parler français, ce qui lui permettait disait-elle de pratiquer son français. Parfois, je m'amuse à dire que c'est plutôt parce qu'elle ne pouvait supporter mon anglais, qui sait!

Vous pouvez imaginer la joie des Esquimaux (comme on les désignait à l'époque; le mot Inuit a pris la relève depuis…) chaque fois que nous nous arrêtions dans leurs communautés. Nous avons fait face à de nombreuses situations cocasses, et notre passage à Fort Providence marque le début de ce que j'appelle mes « blagues royales ».

Notre arrêt dans ce village amérindien de la région de Yellowknife, dans le sud-ouest des Territoires du Nord-Ouest, était le dernier de notre périple, et la reine y dévoila un monument à la mémoire d'Alexander Mackenzie, l'explorateur qui découvrit en 1789 le grand fleuve qui porte aujourd'hui son nom. À la fin de l'événement, le maître de cérémonie devait se rendre au micro pour entonner l'hymne national, mais, pris de timidité, me supplia plutôt de prendre sa place. Mon sens du devoir m'incita à acquiescer à ce qui fut véritablement un désastre! Je me tenais devant 3000 personnes, la reine et les membres de la famille royale. J'ai entonné l'hymne national en français, car je n'en connaissais pas alors les paroles en anglais. Personne dans la foule ne m'a suivi, à l'exception notable de quelques sœurs missionnaires francophones. Comme je n'ai pas la voix de Marc Hervieux, j'étais en sueur, les gens souriaient et Aline était absolument gênée. Quelle situation embarrassante! La reine me taquina avec beaucoup de gentillesse et je lui répondis qu'il n'y avait pas beaucoup de Canadiens qui avaient eu le privilège d'être solistes pour la famille royale. Elle, Philip, Charles et Anne ont bien rigolé; quant à moi, je dois admettre que mon rire était, comme on dit, plutôt jaune…

Quelques mois plus tard, à Ottawa, nous étions plusieurs ministres à rencontrer le prince Charles. Lorsque ce fut mon tour de lui serrer la main, il m'a aussitôt reconnu, et quand je lui ai dit que j'étais quelque peu surpris, il m'a rétorqué, sourire aux lèvres: «Comment pourrions-nous ne pas vous reconnaître? Votre interprétation du *Ô Canada* dans le Nord canadien fait désormais partie du folklore royal.»

Eh bien!

11

« Le royaliste du Québec »

AU COURS D'UNE VISITE EN GRANDE-BRETAGNE AVEC ALINE
et ma fille, France, notre haut-commissaire (ambassadeur) à
Londres nous avait informés du fait que la reine recevrait le
lendemain à Buckingham un groupe de 200 vétérans de la
Première Guerre mondiale qui seraient heureux d'être accompagnés d'un ministre canadien. Aline et France m'avaient dit
que c'était une occasion en or de voir de près la célèbre résidence royale. J'avais donc accepté avec plaisir de me joindre
aux vétérans pour l'occasion.

Le lendemain matin, nous nous sommes donc retrouvés au
palais de Buckingham. Comme le protocole exige que la reine
rencontre d'abord « un membre du Conseil privé » avant de
voir les vétérans, nous nous trouvions dans une autre salle,
l'ambassadeur, Aline, France et moi. La reine venait d'être
informée qu'elle devait d'abord rencontrer un ministre dont le

nom n'était pas mentionné. Durant les dix-huit mois précédents, nous avions eu l'occasion, Aline et moi, de rencontrer des membres de la famille royale à cinq reprises ; ce qui était beaucoup pour des Canadiens français !

Soudain, une grande porte s'ouvre et la reine apparaît, accompagnée du prince Philip. En me voyant, elle s'exclame : « Encore vous ! » Je lui ai répondu aussitôt : « Je suis le royaliste du Québec. » Venant d'une province de 7 millions d'habitants, suggérer que j'étais le seul royaliste du Québec n'était peut-être pas très gentil. Mais avec toute la grâce qu'on lui connaît, elle a simplement souri.

Comme nous étions en vacances, nous avons quitté Londres pour nous rendre en Écosse en suivant le parcours des hautes terres du centre de la région, site majestueux s'il en est. Surprise ! Nous sommes arrivés à Balmoral, où la reine a sa résidence d'été. À la barrière du château, il y avait des touristes en grand nombre et le drapeau royal flottait sur la tour, indiquant que la souveraine s'y trouvait. France me dit : « Papa, annonce-toi et peut-être que nous pourrions visiter ce château aussi ? » Mais je n'ai pas voulu et nous avons continué notre voyage. À quelques kilomètres du château, nous nous sommes arrêtés dans le village pour prendre de l'essence. J'étais sur le trottoir et quelqu'un m'a interpellé de l'autre côté de la rue : « N'êtes-vous pas Chrétien du Canada ? » Ce à quoi j'ai répondu : « N'êtes-vous pas sir Martin Charteris, secrétaire particulier de Sa Majesté ? » Sir Martin Charteris m'a ensuite demandé : « Pourquoi ne venez-vous pas prendre le thé avec la reine au Château ? » J'ai dit non merci, monsieur le secrétaire, car nous sommes attendus ! Peu d'entre nous ont refusé de prendre le thé avec la reine, mais je craignais à la longue de finir par être perçu comme un « Royal Nut ».

Comme le prince Charles avait dit que je faisais partie du folklore royal, la reine m'a raconté de ce même folklore deux anecdotes au sujet d'un autre francophone du Canada que ses parents, le roi George VI et la reine mère, lui avaient contées.

Lorsqu'ils avaient visité Montréal en 1939, lors d'un grand banquet, la reine mère, qui était assise à côté du très coloré maire Camillien Houde, lui avait fait remarquer qu'il ne portait pas le collier d'autorité que les maires avaient coutume d'arborer en certaines occasions. Voici ce qu'il lui répondit : « Votre Majesté, je ne le porte que lors de circonstances spéciales ! »

Et lors d'une occasion antérieure, Camillien Houde circulait sur la rue Sherbrooke avec le futur roi, le prince de Galles qui devint Édouard VIII, et la foule était énorme. La reine m'a rapporté que le maire aurait dit au futur roi que quelques-uns des spectateurs étaient venus pour lui, le prince de Galles. La famille royale trouvait que notre maire coloré Camillien était décidément très drôle. Notre ex-maire Denis Coderre n'avait-il pas un peu de graine de ce cher Camillien en lui… ?

À la suite de ces quelques anecdotes, vous réalisez, je l'espère, que la famille royale est composée de gens qui aiment bien s'amuser comme nous tous !

12

À la défense du libre-échange

Quand je suis entré au Parlement du Canada en 1963, les relations commerciales avec les États-Unis tenaient une place très importante dans les débats. C'est encore le cas aujourd'hui et cela n'a rien de surprenant. Même au début du siècle dernier, en 1911, sir Wilfrid Laurier avait perdu les élections à cause de sa position sur la réciprocité commerciale avec nos voisins du Sud.

Les automobiles produites au Canada coûtaient cher à cause de la petitesse de notre marché intérieur et celles que nous importions étaient encore plus dispendieuses, puisque nous avions des tarifs d'importation très élevés. En 1965, après des mois et des mois de négociations, le Pacte de l'automobile avec les États-Unis fut finalement signé. Ce pacte était un accord sectoriel de libre-échange dans ce domaine très important pour les deux pays.

Ce qui importait au Canada, c'était de s'assurer que la part des emplois de ce secteur chez nous était proportionnelle au poids de notre population. Le maintien du niveau d'emploi était l'aspect le plus surveillé au Parlement et dans la presse. Généralement, les Canadiens étaient un peu plus favorisés que convenu, mais les deux pays y trouvaient leur compte et en étaient satisfaits. Alors, le prix des autos a diminué ici, le choix pour les consommateurs a augmenté et les revenus provenant des taxes d'accise ont nécessairement diminué pour le gouvernement.

Chaque fois qu'il y avait des sursauts protectionnistes d'un côté ou de l'autre, les ministres du Commerce de chaque pays devaient trouver une solution ad hoc.

Le débat sur les possibilités de libre-échange avec les États-Unis depuis Laurier était au cœur des batailles politiques aussi bien chez les libéraux que chez les conservateurs. Quant à moi, sous Pearson, j'étais dans le camp de l'internationaliste Mitchell Sharp, qui s'opposa au nationalisme économique de l'ancien ministre des Finances Walter Gordon lors des congrès du Parti libéral de 1966. De leur côté, les progressistes-conservateurs ont tenu une course à la direction en 1983 à la suite de la démission de Joe Clark. Il avait mis son poste en jeu parce qu'il n'avait retenu la confiance que de 66,9 % des délégués, alors qu'il avait lui-même fixé la barre à 70 % pour continuer (et non pas 50 % plus 1…). Et le sujet le plus débattu fut le libre-échange avec les États-Unis. John Crosbie, ancien ministre des Finances, était en faveur, et celui qui le combattait le plus énergiquement était, assez étrangement, Brian Mulroney.

Évidemment, Brian a trouvé son chemin de Damas et s'est converti en champion du libre-échange avec les États-Unis, ce qui a mené à la signature du traité de libre-échange canado-américain en 1990. L'élection de 1988 fut dominée par le débat sur le libre-échange. L'opinion publique était divisée à environ 50-50; les progressistes-conservateurs étaient seuls du côté du libre-échange alors que les opposants libéraux et néodémocrates étaient divisés. Brian Mulroney avait réussi à faire du libre-échange l'enjeu de l'élection. Dans ce contexte, les libéraux ont perdu à la fois ce débat historique et l'élection qui y était liée.

Quant à moi, j'avais quitté la vie politique en 1986. Heureusement que je n'étais pas candidat en 1988, car j'aurais été en difficulté. En effet, après avoir été un des chantres du libre-échange avec Mitchell Sharp, il m'aurait été difficile d'en devenir un opposant, d'autant plus que l'intérêt de mes électeurs en Mauricie coïncidait avec la signature d'un tel accord. En effet, la région disposait de sept usines de papier, de l'activité d'Alcan et de l'exploitation du bois d'œuvre, qui avaient tous besoin d'un meilleur accès aux grands marchés.

Le libre-échange m'a très vite rattrapé en 1993. J'ai été élu premier ministre du Canada le 25 octobre 1993 et, dès le soir de mon élection, on m'a informé que Bill Clinton me téléphonerait très tôt le lendemain matin. J'étais à mon chalet du lac des Piles, près de Shawinigan, avec ma famille. J'ai dit à mes petits-enfants: «Venez dans ma chambre, car je vais parler pour la première fois comme premier ministre élu avec le président des États-Unis.»

Après les civilités d'usage, il m'a dit qu'il avait besoin de moi, car le projet de libre-échange entre le Canada, le Mexique et les États-Unis était en très grande difficulté au Congrès. Il était convaincu qu'il ne pourrait le faire passer sans un appui rapide du Canada. Je lui ai dit que j'avais besoin d'un certain nombre d'amendements pour pouvoir procéder. Quelques heures plus tard, James Blanchard, l'ambassadeur des États-Unis à Ottawa, a pris contact avec Eddie Goldenberg, un de mes proches collaborateurs, pour voir ce que nous pouvions faire. Eddie a formé un comité avec des experts du ministère du Commerce international et a entamé les discussions avec Blanchard et ses collègues. Tout ça, moins de 48 heures après mon élection et six jours avant mon assermentation.

Peu après, j'ai reçu à ma grande surprise un coup de téléphone de Ross Perot, qui avait été candidat indépendant à l'élection présidentielle américaine de 1992. Il avait récolté 21 % des voix, ce qui avait probablement causé la défaite d'un autre Texan, George H. W. Bush. Il avait fait campagne contre le libre-échange et il m'a dit qu'il était sûr que j'étais le seul qui pouvait bloquer tout ça et que, si je le faisais, il érigerait un grand monument à ma gloire au Texas. Je lui avais répondu que, pour moi, ce n'était pas très intéressant d'avoir un monument au Texas, car aucun Texan ne pourrait voter pour moi à la prochaine élection. Les présidents Clinton des États-Unis et Salinas du Mexique nous ont concédé des amendements sur l'eau, qui fut exclue de l'accord, les subsides, le dumping, l'environnement et les conditions de travail.

Ainsi, après notre conversation du 26 octobre 1993, le président Clinton a réussi à faire passer au Congrès le projet de loi sur l'accord de libre-échange nord-américain avec l'appui de tous les républicains, seulement la moitié de ses amis démocrates… et moi.

J'ai bien hâte de voir ce que le président Trump pourra faire de ses idées protectionnistes avec un Congrès et un Sénat à majorité républicaine. Il sera aussi intéressant de voir ce que feront les républicains libre-échangistes de 1994 du protectionnisme du président Trump... Quand le gouvernement Trudeau m'a consulté, pour moi, il était évident que comme le pacte de l'automobile existe depuis 1965 et que l'ALENA fonctionne assez bien depuis 1994, monsieur Trump va réaliser qu'il n'est pas facile de défaire une omelette. J'écris ces lignes au moment où les négociations se poursuivent entre les équipes du président Trump, du premier ministre Trudeau et du président Peña Nieto, et je suis optimiste quant à leur issue.

13

Les « fake news » de l'Histoire

EN FÉVRIER 2017, À LA SUITE DE SA CÉRÉMONIE D'INTRONISATION, le président Trump se plaignait de la presse, qui selon lui ne disait pas la vérité en affirmant que beaucoup moins de monde y avait participé par rapport à celle du président Obama en 2009. Kellyanne Conway, une proche conseillère du nouveau président, avait alors inventé l'expression « *alternative facts* », « faits alternatifs », pour caractériser la situation. Dans un sens, elle avait raison, puisque si vous affirmez la même chose ad nauseam, même si ce n'est pas vrai, avec le temps, les « faits alternatifs » finissent par s'imposer comme la vérité généralement assumée, y compris pour beaucoup d'historiens. Au fil du temps, ces mythes deviennent pratiquement impossibles à rectifier ; trop de gens les ayant incorporés comme éléments factuels indiscutables dans la présentation de leurs propres histoires.

Un soir, mon petit-fils Olivier m'a téléphoné pour me dire combien il avait été embarrassé par la version qui lui avait été servie à l'école au sujet de la conclusion d'un accord entre le gouvernement fédéral et les provinces, moins le Québec et le Manitoba, sur la Charte des droits et le Rapatriement de la Constitution, et sur le rôle que j'y aurais joué. Apparemment, j'aurais passé la nuit dans les corridors du Château Laurier à trahir le Québec. Le pauvre Olivier en était humilié.

Je lui ai expliqué qu'à partir de 18 h et jusqu'au matin de l'accord, je n'avais rencontré personne des délégations provinciales ; j'avais parlé à 23 h à Garde Gardom, le ministre responsable de la Colombie-Britannique, et à 6 h le matin suivant avec Roy Romanow, de la Saskatchewan. Je lui ai fait confirmer par Aline que j'étais rentré à la maison avant 23 h. Comme il devait faire un travail à ce sujet, il a écrit la version que je lui avais donnée et son savant professeur d'histoire lui a donné la glorieuse note de zéro. Les faits alternatifs répétés depuis sous l'emballage dramatisé de la « nuit des longs couteaux » sont ceux que tous les jeunes apprennent à l'école au Québec aujourd'hui. Pourtant, il existe un film documentaire de Luc Cyr et Carl Leblanc, produit en 1999 sous le titre *Canada by Night*, qui recueille les témoignages des principaux acteurs de cette situation et démonte complètement le mythe de cette fameuse nuit. Malgré la compilation et la vérification rigoureuses des informations colligées dans ce film, sa diffusion limitée dans une atmosphère d'aveuglement volontaire ne sera pas venue à bout des faits alternatifs répétés à satiété avant et après.

Tout cela est arrivé il y a plus de 36 ans, et je redis depuis la même chose ainsi que tous mes collègues, mais rien à faire :

la vérité n'arrive pas à s'imposer. À l'ajournement de la séance de la réunion, Romanow, Roy McMurtry de l'Ontario et moi avions avancé un plan de compromis. Comme je croyais que le gouvernement fédéral devait accepter la clause de dérogation, le fameux «nonobstant», je leur avais dit: «Allez convaincre les provinces; moi, j'ai une tâche plus difficile encore, je dois convaincre mon patron Pierre Elliott Trudeau.»

Après le souper, je me suis rendu au 24 Sussex, où j'ai tenté sans succès de convaincre le premier ministre et les cinq ministres présents. Vers 22 h, le premier ministre s'est rendu au téléphone et, après vingt minutes, lorsqu'il est revenu, son humeur avait changé et il m'a posé quelques questions supplémentaires avant d'ajourner la séance.

Les autres interlocuteurs sont partis, mais il m'a retenu pour me dire qu'il pourrait accepter mon plan si nous obtenions l'appui de sept provinces représentant 50% de la population, soit la formule d'amendement proposée par les provinces et acceptée par le Québec, alors que Trudeau avait toujours été en faveur du droit de veto pour le Québec et l'Ontario. Que s'est-il passé pour que soudainement il accepte la clause de dérogation qu'il avait toujours rejetée auparavant?

Le coup de téléphone qu'il avait reçu lui était venu de Bill Davis, le premier ministre de l'Ontario, son allié inconditionnel depuis le début. Davis lui aurait dit qu'il acceptait le compromis que j'avais proposé à la fin de l'après-midi et qu'il «quitterait le navire si monsieur Trudeau ne l'acceptait pas».

En fait, celui qui avait dénoué l'impasse était Bill Davis, mais on ne lui en a pas donné le crédit, et c'est bien dommage… Ce qui a détruit le groupe des huit provinces, qui avaient tenté de bloquer tout le projet, a été l'acceptation par

René Lévesque de la proposition de faire un référendum sur le rapatriement de la Constitution et l'inclusion d'une charte des droits que Trudeau lui a faite pour dénouer l'impasse le matin même. Cette proposition aurait permis à René Lévesque de reprendre l'initiative contre Trudeau avec ce référendum, alors qu'aucun autre politicien provincial ne voulait se battre contre une charte des droits et le rapatriement, sauf le premier ministre du Manitoba, Sterling Lyon.

Lorsque quinze ans plus tard nous avons eu un autre référendum au Québec, dans une ambiance de fin qui justifie les moyens, Lucien Bouchard et les autres chantres de la séparation ont instrumentalisé à fond la supposée « nuit des longs couteaux » pour attiser le ressentiment. Six jours après la défaite du oui, l'intrus qui a pénétré en pleine nuit à l'intérieur du 24 Sussex dans le but de m'assassiner avait évidemment choisi pour faire le travail un couteau. Aline, heureusement, était là pour me sauver la vie. Alléluia !

Entre-temps et malheureusement, les faits alternatifs à l'origine de bien des dérapages sont toujours aussi profondément enracinés. Le mythe a décidément la vie dure…

14

La démocratie : « le pire des régimes,
à l'exception de tous les autres »…

Par les temps qui courent, à travers le monde, la démocratie connaît des moments difficiles, et pourtant, depuis le
début du XXᵉ siècle, le monde a fait énormément de progrès
dans les domaines humanitaire, social, économique, etc. Tout
ça plus particulièrement dans les pays qui sont ou essaient de
devenir démocratiques.

Trop souvent, les gens oublient combien ce fut difficile d'y
parvenir et que, si nous perdions notre fibre démocratique, il
serait très difficile de la retrouver. Évidemment, la démocratie
est loin d'être un système parfait, mais comme le disait Winston
Churchill pour faire image, « la démocratie est le pire des
régimes, à l'exception de tous les autres ». Il aura fallu la
Révolution française et ses deux millions de morts pour en
établir une première version. Encore aujourd'hui, dans bien
des parties du monde, c'est très difficile à établir.

Au cours de mon mandat de premier ministre du pays, j'ai eu le privilège de rencontrer des leaders qui ont risqué leur vie pour ce système de gouvernance. Un soir, Aline et moi avons eu l'immense privilège de partager un dîner avec Nelson Mandela et son épouse Graça Machel. Nous n'étions que les quatre, et quand nous sommes entrés, Nelson Mandela se tenait debout, très droit, très digne, très souriant, très chaleureux, et finalement en somme très impressionnant. Nous étions d'ailleurs si impressionnés que nous hésitions à nous avancer. Aline avait les larmes aux yeux.

Imaginez être seuls avec ce héros de la lutte d'un peuple pour accéder à la démocratie dans son pays. Il a failli être assassiné à plusieurs reprises et a passé plus de 27 ans en prison pour protester contre le régime d'apartheid et obtenir le droit de vote pour les Noirs de son pays. À ses côtés se trouvait son épouse Graça, veuve du premier président du Mozambique, Samora Machel, décédé dans des circonstances nébuleuses encore aujourd'hui à la suite de l'écrasement de l'avion qui le ramenait chez lui en 1986.

Aussi, j'ai ressenti une immense satisfaction quand nous avons fait Nelson Mandela citoyen honoraire du Canada sous les acclamations de toute la Chambre des communes, à l'exception d'un innocent dont je préfère généreusement taire le nom. Quelle soirée inoubliable! Heureux le couple qui a l'occasion de vivre une soirée comme celle-là.

La Russie a aussi connu une avancée démocratique lorsqu'elle fut invitée pour la première fois à siéger au G7, le groupe des pays les plus industrialisés, qui s'est ainsi transformé en G8 à l'occasion du Sommet de Halifax en 1995. Encore aujourd'hui, lorsqu'on me demande pourquoi mes collègues des États-Unis, de France, de Grande-Bretagne, d'Allemagne, du Japon et d'Italie ont voulu ajouter la Russie au G7, je suis obligé de répondre : «À cause de Boris Eltsine…» Tous mes collègues aimaient cet ours colossal qui voulait à tout prix faire de la Russie une vraie démocratie. Eltsine disait que devenir membre de notre groupe ferait changer les choses.

En le rencontrant, tout le monde voyait ce fils de paysan, bâti comme une armoire à glace, qui avait perdu deux doigts à sa main gauche en manipulant une grenade dans sa jeunesse. Mais ce qu'on voyait surtout, c'est l'homme qui avait fait un geste extrêmement courageux à Moscou le 19 août 1991 en montant sur un char d'assaut pour haranguer la foule et faire échec à un coup d'État fomenté par des communistes nostalgiques.

Laissés de côté par le nouveau gouvernement russe, certains d'entre eux ont tenté de renverser le nouvel ordre en pénétrant dans la capitale avec des chars d'assaut et de l'artillerie lourde pour expulser Gorbatchev et Eltsine du pouvoir. Eltsine avait quitté son bureau pour descendre dans la rue et monter sur le char d'assaut de tête. Malgré la présence militaire menaçante, il a stoppé net la contrerévolution par son geste extrêmement audacieux. Au péril de sa vie, en ces quelques secondes cruciales, il avait fait plus que quiconque pour faire avancer la démocratie et faire échec au communisme dans cette partie de l'Europe.

Parmi ceux qui ont fait progresser les valeurs démocratiques dans leur pays, j'ai côtoyé aux sommets de l'APEC et à plusieurs autres occasions le président Fidel Ramos des Philippines. Ramos a frôlé la mort pour rétablir la démocratie dans son pays. Le très corrompu président Ferdinand Marcos, époux de l'ineffable Imelda, avait établi une quasi-dictature terrible dans ces îles du Pacifique. À bout de patience, la population manifestait contre le régime Marcos dans les rues depuis des semaines. Dans ce pays très catholique, l'Église s'était même jointe au mouvement dans la rue.

Le général Ramos, qui était chef de l'état-major des forces armées, avait convoqué ses subalternes les plus importants, et ils avaient décidé ensemble de se joindre à plus d'un million de Philippins qui réclamaient dans la rue le départ immédiat de Marcos. Lorsque Ramos arriva au centre-ville avec la foule en colère, il fut stupéfait de réaliser qu'aucun des autres généraux ne l'avait suivi.

En me racontant cette histoire extraordinaire, Ramos m'a dit avoir cru qu'il serait assassiné sur le champ par les troupes de Marcos. Mais au contraire, son geste courageux a précipité les événements et Marcos a été chassé du pouvoir. Ramos a pris la situation en main, rétabli la démocratie et est devenu un président des Philippines très populaire tout au long de son mandat.

Si l'on veut que la démocratie survive à cette période très difficile que nous traversons, il faut que d'autres Mandela, Eltsine et Ramos se lèvent… Je suis sûr qu'il y en aura, car l'humanité a grand besoin de la démocratie !

15

Les Russes me font sourire

Aujourd'hui, nous sommes le 21 mars et enfin c'est le printemps. Le beau temps revient, je souris pour ça et pour autre chose. Oui, les Russes me font sourire aussi.

Depuis 1971, mes obligations ministérielles m'ont obligé à avoir des rapports fréquents avec nos voisins du Nord. De la Terre de Baffin jusqu'à l'ouest du Yukon, les Russes sont nos voisins. Voilà pourquoi au cours de l'été de 1971, pendant deux semaines, j'ai dirigé une délégation canadienne à Moscou, Saint-Pétersbourg et six villes différentes dans l'immensité de la Sibérie, puisque j'étais alors le ministre responsable du Nord canadien. J'ai continué à travailler avec les Russes durant toute ma carrière comme ministre et premier ministre, et je pourrais vous en conter des vertes et des pas mûres. Celui qui est devenu le principal conseiller de Gorbatchev lors de la pérestroïka, Alexandre Nikolaïevitch Iakovlev, avait été ambassadeur au

Canada pendant dix ans et était devenu un ami. Quarante-six années d'observation professionnelle de nos voisins du Nord me permettent de dire aujourd'hui que si le président russe Vladimir Poutine a eu de l'influence sur le résultat des élections américaines en novembre 2016, ce qui se passe aujourd'hui à Washington, c'est du bonbon pour lui.

Pendant que nous, les gens de l'Ouest, Américains, Canadiens, Européens, applaudissions à la révolution de Gorbatchev qui mettait fin à l'empire soviétique, pour une forte proportion de Russes, ce fut un désastre, et c'est ce que Vladimir Poutine affirme constamment. À la première élection après la chute de l'Union soviétique, Boris Eltsine a complètement écrasé les candidats de Mikhaïl Gorbatchev, qui n'ont reçu que 3 % des votes. La raison principale de cette cinglante rebuffade venait du fait que les Russes avaient encaissé la dissolution de l'Union soviétique comme une profonde humiliation.

Alors que tout le monde semble surpris de voir l'incroyable popularité de Vladimir Poutine dans son pays avec l'appui constant d'environ trois Russes sur quatre, moi, je ne le suis pas, car il réussit à faire vibrer la fierté du peuple russe.

C'est sûr que la vie n'est pas facile pour les Russes, puisque, en plus d'avoir vu le prix du pétrole plonger de plus de moitié au cours des cinq dernières années, ils doivent faire face au boycottage des pays Européens, des États-Unis et du Canada. Par contre, ils ont augmenté considérablement leur commerce avec leurs voisins chinois et leurs gens d'affaires ont transféré leurs comptes de banque de New York et Londres vers Singapour, Hong Kong et Chypre.

Évidemment, la vie est plus dure aujourd'hui qu'il y a cinq ans pour les citoyens de la Russie, mais ce qu'ils possèdent aujourd'hui est encore beaucoup mieux que ce qu'ils avaient sous le régime communiste et durant les premières années sous Boris Eltsine. Le Moscou de 2017 n'est pas celui de 1971.

Mon gouvernement était toujours aux côtés de Boris Eltsine et nous nous réjouissions lorsqu'il a tenté d'établir la démocratie et l'économie de marché en même temps (et les Russes n'ont pas très bien réussi dans les deux cas), alors que les Chinois ne se sont concentrés que sur l'économie de marché (ce qui leur a plutôt bien réussi). Peut-être que faire les deux en même temps et très vite, c'était trop et que nos pays de l'Ouest n'ont pas suffisamment mis la main à la pâte… Qui sait?

À l'époque où j'écrivais cette chronique, CNN a diffusé une émission d'une heure sous le titre «Poutine, l'homme le plus puissant du monde». Après la disparition de l'Union soviétique et les misères des années 1990, quelle fierté pour le peuple russe d'effectuer un retour aussi extraordinaire sur la scène internationale!

Lorsqu'on a travaillé avec les Russes depuis 1970, on sait très bien qu'ils ont parmi les meilleures danseuses de ballet au monde et aussi de très bons joueurs de hockey. Mais il ne faut surtout pas confondre les deux. Lorsque leurs hockeyeurs sont sur la glace, ils ne portent pas de tutu. Aussi, mieux vaut ne pas foncer tête baissée dans les coins de patinoire pour chercher la rondelle, car ça risque de faire «boum». Les Russes sont les Russes…

16

Une baignade inattendue dans le nord de la Sibérie

Au cours de la campagne électorale de 1965, le premier ministre Pearson m'avait invité à passer deux jours avec lui dans sa circonscription électorale d'Algoma-Est, dans le nord de l'Ontario. C'était le début de la campagne, il voulait visiter plusieurs villes et, comme il y avait beaucoup de Franco-Ontariens qui y vivaient, à chaque rencontre publique, il me demandait de faire de petits discours en français principalement.

Prix Nobel de la paix et premier ministre du pays, Lester B. Pearson – surnommé «Mike» – n'en était pas moins un homme simple qui aimait bien rire. Il m'a d'ailleurs raconté que, parfois, la politique crée des circonstances inattendues, comme le jour où il a survécu avec surprise au concours des toasts à la vodka en Russie en 1955, alors qu'il était ministre des Affaires étrangères sous Louis Saint-Laurent. Lors d'un dîner avec le président Khrouchtchev, il était devenu clair que ce dernier voulait faire rouler les Canadiens sous la table. En tandem avec le premier ministre Boulganine, ils proposaient toast après toast de la vodka au poivre tout en gardant un œil d'aigle sur eux pour que « cul sec » soit fait chaque fois. Monsieur Pearson était sorti de ce dîner sur ses deux pieds, à la grande surprise de ces hôtes russes et après avoir survécu à dix-huit de ces toasts.

J'ai eu à faire face à une situation similaire en Sibérie en 1971 alors que j'étais ministre des Affaires indiennes et du Nord canadien. Je dirigeais une délégation canadienne en Union soviétique pour comparer nos développements nordiques. Nous avons eu des discussions avec des ministres à Moscou, une visite à Leningrad, devenue Saint-Pétersbourg, avant de partir pour une tournée de deux semaines dans l'immense territoire que couvre la Sibérie ; un territoire beaucoup plus vaste que l'addition du Yukon, des Territoires de Nord-Ouest et du Nunavut qui étaient sous ma responsabilité. Après avoir visité six régions différentes, comparé nos méthodes, nos institutions, nos progrès et nos retards, je suis revenu avec la conviction que le régime communiste n'allait pas durer. Mais ce fut un voyage fascinant, au cours duquel j'ai été soumis au même défi que mon ancien patron Mike Pearson avait relevé seize ans plus tôt.

Comme nous étions au travail depuis dix jours, il a été convenu de prendre une journée de congé alors que nous étions à Iakoutsk, dans le nord-est de la Sibérie. J'avais indiqué que j'aimerais faire de la pêche ; pas de problème. Un matin, on m'embarque seul sur une grande chaloupe à moteur. Nous nous arrêtons sur une plage, nous prenons un café, nous marchons quelques minutes. Il y a un homme qui m'attend, je vois dans l'eau une clôture en grillage qui forme une espèce de bassin. Je m'approche et je vois six gros poissons dans le bassin. Le pêcheur les sort de l'eau ct me les donne ; on prend une belle photo de moi et des beaux poissons de 3 à 4 lb chacun et nous revenons vers nos compagnons. Alors, c'est vrai que je suis allé à la pêche en Sibérie, et je peux affirmer sans détour que ça mord toujours… !

Cette pêche un peu particulière avait occupé ma matinée, mais l'après-midi allait se révéler encore plus surprenant. Après avoir rejoint ma délégation, nous nous sommes embarqués sur un bateau de bonne qualité et nous avons quitté Iakoutsk pour une promenade sur le fleuve Léna. En cours de route, quelqu'un m'a prévenu : « C'est le moment où ils vont vous gaver d'alcool… » Il faisait beau soleil et on a installé une superbe table remplie de légumes et de fruits frais, de caviar et de belles bouteilles de vodka.

Nous nous taquinions et trinquions toast après toast à l'amitié des deux voisins sur la « calotte polaire ». Après plus de deux heures de libations inhabituelles, la vodka faisait son effet et les Russes nous ont proposé une compétition sportive : « Nous allons demander à quatre Canadiens et à quatre Russes de faire une course à la nage entre notre embarcation et une autre qui se trouve à environ huit cents pieds. » Quel défi pour des Canadiens, qui aiment battre les Russes au hockey !

Plutôt éméché, je me suis porté volontaire avec trois autres Canadiens. Quatre Russes se sont déshabillés comme nous jusqu'à leurs sous-vêtements. On a aligné les huit concurrents sur le bord du bateau ; un Russe a sorti un fusil et tiré solennellement le coup de départ. Les quatre Canadiens ont plongé, mais pas les quatre Russes, qui sont restés à bord avec tous les autres au sec et morts de rire. L'eau du fleuve Léna est aussi froide que celle du fleuve McKenzie, dans le Nord-Ouest canadien. Ce n'était pas seulement froid, mais plutôt, comme on dit en bon québécois, « frette en maudit ».

Mais ce plongeon dans l'eau glacée a été salutaire dans les circonstances. J'ai bu alors une très grande quantité de cette eau froide, qui a dilué ma vodka. Quelle chance ! Quand nous sommes revenus à terre, les Russes ont quant à eux dû porter dans leurs bras mon hôte, le premier ministre du territoire, qui avait été terrassé par la quantité inhabituelle d'alcool que nous avions absorbée. De mon côté, l'eau glacée du fleuve avait fait son œuvre et j'ai pu quitter le navire sur mes deux pieds sous les applaudissements de mes compagnons. Le Canada avait encore gagné. Quelle journée mémorable !

Je suis probablement le seul Canadien qui peut dire qu'il est allé à la pêche et s'est baigné le même jour dans le Grand Nord sibérien. Au cours de cette journée à la fois compétitive et amicale, je crois avoir fait honneur à mon ancien patron Lester B. Pearson.

17

Trump et les Russes

Au moment où j'écris ce texte, nous sommes le 31 mars 2017. Du matin au soir, les grands réseaux de télévision américains, tout comme les grands journaux, ne parlent que du président Donald Trump, de ses collaborateurs, des Russes et de Poutine. La question : est-ce que Vladimir Poutine est intervenu d'une certaine manière dans l'élection présidentielle de novembre 2016 ? Pour moi, il était clair que les Russes, après avoir accordé l'asile au fonctionnaire du secrétariat d'État américain Edward Snowden, lequel avait mis la main sur des milliers de courriels subtilisés à son travail, utiliseraient ces secrets d'État dans ce qu'ils considéraient comme leur intérêt supérieur.

Chaque fois que l'un de ces documents devenait public, la pauvre Hillary Clinton était sur la défensive. Les journaux en faisaient leurs grands titres et le candidat Trump en remettait en haranguant les Russes dans ses discours : « Chers amis, envoyez-en plus ; les courriels d'Hillary nous manquent, allez-y, je vous en prie, ne vous gênez pas ! »

Alors, les services de sécurité de Moscou répondaient avec grand plaisir aux souhaits de Trump !

Ce qui m'inquiète aujourd'hui, c'est que nous retombions dans une atmosphère de guerre froide, qui cette fois risque d'être encore plus compliquée, car elle pourrait se tenir à trois. À partir de 1950, la guerre froide se passait essentiellement entre l'URSS et les États-Unis. La prochaine fois, les Chinois en seront, car ils sont déjà beaucoup plus puissants que les Russes ne l'ont jamais été. Alors, pourquoi ne pas changer de cap avec les Russes ? En 1955, le ministre des Affaires étrangères de l'époque, Lester B. Pearson, avait été le premier politicien de l'Ouest à être invité à rendre visite aux dirigeants soviétiques depuis le début de la guerre froide. Il faut lire les mémoires de monsieur Pearson qui décrivent ses longues discussions avec Khrouchtchev au sujet de l'OTAN. De façon surprenante, on y découvre ce que désirait le président de l'Union soviétique dans ses propres mots : « Vous devriez nous laisser entrer dans l'OTAN, où nous frappons à la porte depuis deux ans… »

Comme chacun sait, l'OTAN a été créée parce que l'Ouest craignait les ambitions territoriales des Russes. Alors, pourquoi leur a-t-on refusé de se soumettre avec nous aux règles de l'OTAN plutôt que d'arrêter d'en faire littéralement des ennemis perpétuels ?

Plus tard, alors que j'étais premier ministre, les pays membres de l'OTAN ont recommencé à parler de rapprochement avec les Russes, en 1995. Nous les avions acceptés au sommet du

G7 à Halifax comme membres de ce qui devenait de facto un G8. Pourquoi ne pas continuer en les intégrant alors à l'OTAN? En avril 2002, à Rome, nous avions tenu un sommet spécial de l'OTAN incluant la Russie pour faire avancer la possibilité d'un plus grand rapprochement en l'acceptant dans notre orbite des pays de l'Ouest.

Lors de la célébration du tricentenaire de Saint-Pétersbourg, pendant une longue rencontre entre Vladimir Poutine, le chancelier allemand Gerhard Schröder, le président français Jacques Chirac et moi-même avions discuté de la possibilité de voir la Russie devenir membre de l'Union européenne. L'idée de voir l'Europe s'étendre vers l'Est avec l'addition d'une population de 175 millions et les immenses ressources de cet énorme pays, le plus grand au monde, était particulièrement excitante. Au moment où nous assistions à l'émergence aussi constante qu'inévitable de la Chine sur la scène mondiale, l'intégration occidentale de la vaste Russie était pour moi une idée exaltante.

En faisant un tel geste, les Russes auraient été obligés, comme les Tchèques, les Polonais, les pays baltes et les autres anciens membres occidentaux de l'URSS avant eux de se conformer à nos règles démocratiques, au respect des droits de la personne, etc. L'Europe serait devenue encore plus importante, car le nouvel ensemble aurait fait de ce continent un territoire au revenu intérieur très concurrentiel avec une population beaucoup plus grande que celle des États-Unis. Que de possibilités pour notre monde occidental !

Ce qui m'étonne encore, c'est que je participais activement à cette discussion, même si je n'étais pas Européen. Mes collègues me laissaient parler comme si j'étais l'un d'entre eux.

Maintenant, il n'y a plus de G8, les Russes sont boycottés par les pays de l'Ouest et les journaux ne parlent que de leur intervention dans les élections américaines de novembre 2016.

Imaginez où nous serions aujourd'hui si nous avions continué dans la voie du rapprochement avec la Russie…

18

Un épisode oublié du 11 septembre 2001

Un jour, à l'occasion d'une réception à Shawinigan, une de mes anciennes électrices m'a approché pour me dire : « Depuis longtemps, j'espérais vous voir pour vous poser cette question : est-ce que ce fut très difficile de dire oui lorsqu'on vous a demandé la permission d'abattre l'avion de Korean Airlines qui se dirigeait vers Vancouver et dont le pilote refusait d'établir son identité ? » En cette journée fatidique du 11 septembre 2001, où les tours jumelles du World Trade Center à New York se sont effondrées, un avion coréen ayant 215 passagers à bord est passé au-dessus de l'Alaska et du Yukon sans se signaler auprès des contrôleurs aériens. Les avions de chasse américains ont pourchassé le Boeing 747 en Alaska jusqu'au-dessus du Yukon. Arrivé au-dessus de la Colombie-Britannique, le pilote coréen n'avait toujours pas donné son identité et semblait se diriger vers Vancouver. C'est alors que nos autorités militaires m'ont appelé pour m'informer de la nature du problème et m'ont dit qu'elles voulaient avoir ma permission d'abattre l'avion récalcitrant pour éviter une hécatombe dans la métropole de la Colombie-Britannique. Si le pilote ne répondait pas aux messages des chasseurs militaires et de contrôleurs aériens dans les 45 minutes, nous devrions abattre l'appareil, m'ont-ils dit.

Madame, lui ai-je répondu, c'est un moment où le dirigeant d'un pays se sent bien seul. Il ne peut pas se dérober et réalise qu'il y a 215 êtres humains, avec des familles et des responsabilités, qui seront peut-être morts dans 30 minutes s'il dit oui. Par contre, s'il dit non, peut-être que des milliers d'honnêtes citoyens et citoyennes de Vancouver deviendront des victimes. Je leur ai dit : « Oui, faites votre devoir ! » En déposant le téléphone, j'étais en nage. Un quart d'heure plus tard, j'ai appris que le pilote était entré en communication avec la tour de contrôle et que tout était rentré dans l'ordre. Alors seulement, j'ai lâché un long soupir de soulagement. Ouf !

Lors d'un autre incident, alors que j'étais dans mon bureau le 25 octobre 1999, on m'a informé du trajet erratique d'un avion dans le ciel du Dakota. L'appareil avait quitté le sud de la Floride depuis plus de deux heures et aucune tour de contrôle n'avait pu prendre contact avec les pilotes. De plus, cet avion avait été nolisé par Payne Stewart, un excellent joueur de golf que j'aimais beaucoup et qui s'habillait toujours à l'écossaise avec un pantalon aux genoux « knickers », des bas qui montaient jusqu'à la culotte et une casquette basse « tam o' Shanter », le tout dans des tissus aux couleurs de certains clans du nord de l'Écosse. Quelle couleur, quel talent et quelle notoriété !

L'avion se dirigeait vers la ville de Winnipeg et les contrô-leurs du trafic aérien craignaient qu'il ne s'écrase sur la capitale du Manitoba. Encore une fois, on m'a demandé la permission de l'abattre si cela devenait nécessaire. C'est la mort dans l'âme que j'ai autorisé la procédure. Peu de temps après ma décision, j'ai appris que l'avion s'était finalement écrasé dans le Dakota du Sud. Les reportages indiquaient que tous les passagers étaient morts en l'air en raison d'une dépressurisation de la cabine dès le début du vol. L'avion avait erré ensuite plusieurs heures sur le pilote automatique, les pilotes ayant perdu connaissance. J'avais eu beaucoup de peine à autoriser la destruction de l'appareil qui transportait un de mes héros sportifs…

Par contre, la fin d'un autre incident me donne satisfaction. De nouveau le 11 septembre 2001, cette journée si tragique, les autorités gouvernementales des États-Unis ont ordonné de fermer tous les aéroports du pays. Il y avait à ce moment des dizaines d'avions qui volaient au-dessus de l'Atlantique, lesquels ont demandé aux autorités canadiennes l'autorisation de se détourner vers le Canada. Grâce à la vivacité de mon ministre des Transports David Collenette, nous avons pu répondre « oui » très rapidement. J'avais dit à mon personnel que David avait raison. Plusieurs aéroports de notre côte atlantique ont accueilli un certain nombre d'avions, mais c'est Gander qui s'est rendue célèbre. La ville en effet a reçu en quelques heures autant de visiteurs qu'elle avait de citoyens (6569). Il y avait des voyageurs de toutes les origines, de toutes les langues, de toutes les religions et de toutes les couleurs du monde.

Le mercredi 15 mars 2017, je me suis retrouvé à Broadway avec David Collenette, le premier ministre Justin Trudeau, le premier ministre de Terre-Neuve-et-Labrador Dwight Ball et les maires et autres citoyens de la région de Gander pour la première du spectacle musical *Come From Away*, qui célébrait la générosité, la civilité, l'altruisme et l'ouverture d'esprit des Terre-Neuviens en cette occasion dramatique. Aline et moi avions les larmes aux yeux. Au moment même où chez nos voisins du Sud on parlait d'élever des murs, de refuser d'accueillir des gens même comme visiteurs à cause de leur religion et de ne plus accepter de réfugiés syriens, on célébrait le miracle de Gander, le meilleur exemple des valeurs canadiennes de tolérance, de partage, d'acceptation de la diversité, présenté dans un spectacle de grande qualité. Et j'étais là avec le fils de mon ami Pierre Elliott Trudeau qui un an plus tôt, comme premier ministre de notre pays, a donné l'exemple au monde entier en ouvrant les bras des Canadiens aux réfugiés syriens. Ainsi, je me sens très fier de répéter, comme je l'ai fait si souvent à la fin de mes discours, « Vive le Canada ! ».

19

Ministre des Affaires indiennes et du Nord : des années formatrices

Après sa première victoire du 25 juin 1968, Pierre Elliott Trudeau a décidé de procéder à de gros changements dans le Cabinet des ministres qu'il avait hérité de son prédécesseur, Lester B. Pearson, à la fin du mois d'avril. Ainsi, il m'a retiré le ministère du Revenu national et nous avons discuté de quelques possibilités avant qu'il ne me demande d'accepter le ministère des Affaires indiennes et du Nord canadien. J'ai été surpris, mais ça allait pour le Nord canadien, pour Parcs Canada et les autres responsabilités découlant de l'ancien ministère de l'Intérieur. Pour les Affaires indiennes, cependant, moi qui n'avais jamais rencontré un Amérindien de ma vie, je ne me sentais pas du tout prêt à assumer ces responsabilités.

L'argument du premier ministre était le suivant : « Comme tu viens du Québec rural, d'une minorité linguistique, que tu

es un politicien très proche de l'électorat et surtout précisément comme tu n'as jamais rencontré un Amérindien, on ne
pourra pas dire que tu as un parti pris, et en plus, je crois que
tu les comprendras mieux que quiconque. » Je lui ai demandé
de me laisser réfléchir à sa proposition. En retournant à mon
bureau, la réaction de mes deux adjoints, John Rae et Jean
Fournier, m'a surpris. Ils étaient plus qu'enthousiastes, car ils
avaient tous les deux occupé un emploi d'été dans le Nord
canadien. J'ai donc accepté avec beaucoup moins d'hésitation
que je ne l'aurais fait quelques heures seulement auparavant.
J'ai tout de suite rencontré mon prédécesseur, Arthur Laing,
lequel m'a dit les yeux pleins d'eau qu'il quittait ce poste avec
beaucoup de regret. Beaucoup plus âgé que moi, ce gentleman
de Vancouver m'a donné une leçon de tact que je n'ai jamais
oubliée ensuite. Il était demeuré membre du Cabinet et,
quand il était en désaccord avec ce que je faisais, il me le disait
seul à seul tout en m'appuyant devant mes collègues. Que
de sagesse et d'inspiration dans ce geste de solidarité !

Aujourd'hui, je réalise que mes six années et plus à titre de
ministre des Affaires indiennes et du Nord canadien ont été
les plus formatrices de ma carrière politique. Dès le début,
Pierre Elliott Trudeau et moi étions très mal à l'aise avec
l'image que notre pays projetait sur la scène internationale
dans le traitement des peuples autochtones. Souvent dans les
journaux, dans les débats internationaux, à l'Organisation des
Nations unies, le Canada se faisait accuser de pratiquer un
système d'apartheid comme en Afrique du Sud avec ses
réserves, sa Loi sur les Indiens et un ministère des Affaires
indiennes. Aussi avons-nous décidé de tenir une vaste consultation avec les Amérindiens pendant de longs mois au cours
desquels je les ai visités partout au Canada.

D'un bout à l'autre du pays, j'ai entendu essentiellement le même discours des peuples autochtones : « Vous nous avez pris nos terres ; vous ne respectez pas les Traités ; vous avez établi des réserves ; nous sommes des citoyens de seconde classe ; nous avons un ministère des Affaires indiennes ; vous n'êtes pas mieux que l'Afrique du Sud et son système d'apartheid. » Je passais des journées entières à échanger avec eux. Un jour, dans une assemblée dans le nord de la Saskatchewan, un vieux chef amérindien m'a dit : « Les choses s'améliorent, je suis dans la même salle que vous et je peux vous parler. Il y a vingt ans, j'avais fait trente milles en canot et nous étions allés à la gare pour saluer le ministre. Le train avait réduit sa vitesse et sur le balcon du dernier wagon se tenait debout un homme qui nous a salués de la main. On nous a dit que c'était notre ministre… » Les chefs amérindiens étaient généralement vêtus de leurs costumes traditionnels et s'exprimaient dans leurs langues ancestrales de façon très éloquente, me semblait-il. Le tout était unique et tout à fait fascinant.

En conclusion de ces longues consultations, nous avons publié un livre blanc qui a tout simplement eu l'effet d'une véritable bombe. L'idée que les Amérindiens, les étrangers et beaucoup de Canadiens puissent voir dans le système des réserves une forme d'apartheid était absolument inacceptable pour le premier ministre P. E. Trudeau, moi-même et tout le Cabinet. Ainsi, pour être cohérent, selon nous, il fallait donc abolir la Loi sur les Indiens et le ministère correspondant. Il fallait remettre aux Autochtones les territoires constituant les réserves et, en somme, leur reconnaître exactement les mêmes droits que ceux de tous les autres citoyens du Canada. Quand j'ai annoncé cette nouvelle politique aux plus importants chefs, ils sont demeurés bouche bée. Pourtant, je ne faisais qu'accepter leurs revendications traditionnelles, mais…

Quelques jours plus tard, au nom de tous les Amérindiens, un jeune chef très articulé de l'Alberta, Harold Cardinal, a rejeté notre livre blanc du revers de la main en nous accusant de vouloir commettre un génocide culturel. «Ce que nous voulons n'est pas que vous changiez le système légal, peu importe son nom. Nous voulons plus de services, plus d'écoles, plus de services médicaux, plus de développement économique; tout cela venant du gouvernement fédéral seulement. L'égalité, ce n'est pas ce que nous voulons…»

Alors, nous avons reculé, mais personne au monde ne peut dire aujourd'hui que nous imposons un système d'apartheid aux peuples autochtones du Canada. Ce que nous avons, c'est ce qu'ils voulaient à l'époque.

Après cette période tourmentée, j'ai continué en donnant une nouvelle priorité aux Affaires indiennes. Après quatre ans à ce poste très difficile, le premier ministre Trudeau voulait me libérer, mais les Amérindiens lui ont demandé de me garder comme leur ministre. Quand je leur ai demandé pourquoi ils voulaient me garder alors qu'ils me critiquaient tout le temps, ils ont répondu: «Nous préférons faire affaire avec le diable que nous connaissons!» Eh bien…

Ainsi, je suis demeuré plus de six années en poste; un record dans l'histoire de ce ministère très exigeant. Ce fut une expérience qui m'a énormément aidé dans toutes les tâches qui m'ont été confiées au cours des 29 années suivantes de ma vie publique.

20

Les parcs nationaux :
un héritage dont je suis fier

Très souvent, les gens me demandent quelles ont été les actions les plus importantes que j'aie faites dans ma vie politique. Bien sûr, c'est une question très difficile quand on a été près de 30 ans membre du Cabinet à titre de ministre et de premier ministre ; il y en a eu tant qu'il est vraiment difficile de choisir. Certaines sont bien connues, comme la guerre en Irak, la Loi sur la clarté référendaire, l'élimination du déficit budgétaire et le dégagement de surplus, etc. En revanche, il y en a d'autres qui le sont moins et qui me donnent pourtant beaucoup de satisfaction. J'aimerais d'ailleurs à cet égard parler de mon travail de développement des parcs nationaux.

Quand je suis devenu ministre des Affaires indiennes et du Nord canadien, j'ai également hérité de la responsabilité des parcs nationaux et des sites et monuments historiques. Dès les premiers jours de mon mandat, le président de l'Association des parcs nationaux, Alfred Frame, m'a rendu visite pour m'expliquer de façon érudite et convaincante que nous n'étions pas au Canada à la hauteur de la situation vu l'étendue et la beauté de notre pays. En une seule session, il a réussi à me convaincre que pour un très jeune ministre de 34 ans, il y avait là une occasion de faire sa marque. À la fin de notre rencontre, je lui ai dit que j'établirais dix nouveaux parcs nationaux si je restais au ministère cinq ans. Il m'avait répondu que ce n'était pas très réaliste, puisqu'il s'en était développé seulement quatre au cours des quarante années précédentes. Je lui ai dit que j'étais prêt à parier 5 $ que je réussirais.

Lorsque quatre ans plus tard nous avions réussi à établir dix nouveaux parcs nationaux, il me fit parvenir un chèque de 5 $ avec une lettre de félicitations en disant qu'il n'avait jamais payé un pari perdant avec autant de réel plaisir. En fait, le pari ne lui coûta rien, puisque je ne l'ai pas encaissé et l'ai plutôt installé bien au centre d'un grand cadre entouré de photos des dix nouveaux parcs.

Entre le dire et le faire, il y avait une grande marge. Tout d'abord, j'ai visité le parc national des Hautes-Terres-du-Cap-Breton avec mon ami le député local et ministre Allan MacEachen. Je fus très impressionné par la beauté du site et aussi par l'impact économique sur la région. Allan me demanda: «Pourquoi n'en ferais-tu pas un dans la belle région de la Mauricie?» Je savais qu'il n'y en avait aucun au Québec. Nous en avions partout au Canada, nous avions un budget intéressant, mais rien pour le Québec. Les dirigeants de Parcs Canada m'ont dit qu'ils n'avaient pas pu convaincre le gouvernement du Québec de collaborer. J'ai commencé par semer l'idée à Shawinigan, et nous avons formé un comité de citoyens qui a entrepris de faire pression sur les politiciens provinciaux. Pas un ministre ou député ou candidat n'apparaissait dans la région sans que le comité le coince, et comme le projet était très populaire dans la région, le gouvernement provincial en a pris note. Un de mes bons amis de l'Université Laval, Gabriel Loubier, était ministre provincial du Tourisme. Il avait compris très vite que des investissements du gouvernement fédéral dans ce secteur seraient bénéfiques pour le Québec et décida donc de m'aider.

Au cours des négociations, Loubier est venu me voir à Ottawa en compagnie de Marcel Masse, ministre des Relations fédérales-provinciales. À l'heure convenue, Loubier s'est présenté, mais Marcel Masse nous a fait attendre près d'une heure, ce qui nous avait indisposés. Lorsqu'enfin le ministre Masse est arrivé, Loubier m'a dit à voix haute : « Voici Marcel Masse, jeune ministre, beau garçon, élégant, éloquent, intelligent, ambitieux, et je te dis qu'avec un peu plus d'expérience il pourra prendre ma place comme ministre du Tourisme. » Je pense que Masse ne l'avait pas trouvé très drôle. Mais c'était du Loubier tel que je l'avais connu à l'université : un personnage très coloré.

Marcel Masse ne voulait pas céder un pied carré du sol québécois au méchant gouvernement fédéral : « Je ne me mettrai pas à genoux devant le fédéral », disait-il, ce que personne ne lui demandait d'ailleurs. Sachant qu'il avait beaucoup de sympathie pour la séparation, je lui avais répondu que « si un jour vous la faites, la séparation, je ne mettrai pas le parc dans des camions pour le sortir du Québec ».

Loubier croyait par contre qu'il pourrait convaincre le premier ministre Jean-Jacques Bertrand, ce qui ne fut finalement pas le cas. Le soir de la journée où la décision fut prise, il y avait une partie de hockey au Forum de Montréal entre les députés fédéraux et les députés provinciaux du Québec. Loubier m'avait dit avant la partie : «Masse a réussi à bloquer notre projet ce matin ; ne le manque pas sur la glace tantôt !» Alors, durant la partie, je me suis retrouvé sur la glace en même temps que Masse. Lorsqu'il a pris le contrôle de la rondelle, je lui ai administré un solide coup d'épaule. Jacques Normand, un comédien célèbre à l'époque, faisait des commentaires au micro et avait ironiquement dit : «Su'l cul, le petit ministre.» Loubier avait aussitôt sauté sur la glace pour venir me féliciter.

Il aura fallu un changement de gouvernement à Québec, où l'arrivée des libéraux m'aura enfin permis de m'entendre avec la très respectée ministre Claire Kirkland-Casgrain. Ainsi, nous avons maintenant quatre parcs nationaux : de la Mauricie, Forillon, de l'Archipel-de-Mingan et le parc marin du Saguenay −Saint-Laurent. Ils sont tous très populaires et aucun Québécois ne se sent humilié en les fréquentant.

Pour chacun des parcs que nous voulions faire, il fallait mener des négociations difficiles avec les gouvernements provinciaux, et l'accord qui a permis l'établissement de celui de Pacific Rim sur la côte ouest de l'île de Vancouver a été parmi les plus difficiles à conclure. Nous voulions faire des magnifiques et uniques forêts boréales un lieu privilégié. Des arbres géants bordaient l'océan Pacifique ; le site était tout à fait spectaculaire. Le député de Victoria David Anderson avait mis sur pied un comité de citoyens très actif qui faisait des pressions constantes sur les autorités provinciales. Leur ministre du Tourisme était favorable, mais se heurtait au ministre des Forêts, qui voulait garder les immenses arbres pour

1. Le premier ministre du Québec, Maurice Duplessis, entouré des finissants du Séminaire de Trois-Rivières, en 1955. Mon grand ami Jean Pelletier est l'avant-dernier, à droite.

2. Excursion de pêche mémorable, en Sibérie du Nord-Est, en 1971. La preuve qu'il y a du poisson à profusion dans cette région du monde !

3. Cinq premiers ministres réunis dans une seule photo : Pierre Elliott Trudeau, John Turner, Lester B. Pearson et moi-même, sous le portrait de Sir Wilfrid Laurier.

4. Négociations constitutionnelles de septembre 1980, avec Claude Charron et René Lévesque. À ma gauche, le premier ministre Pierre Elliott Trudeau et mon collègue Allan MacEachen.

5. Anthony Vincent (1949-2008), ex-ambassadeur du Canada au Pérou. Un héros méconnu.

6. Avec mes proches conseillers Eddie Goldenberg et Jean Pelletier, quelques heures après mon élection au poste de premier ministre, le 25 octobre 1993.

7. À l'Élysée, avec le président François Mitterrand.

8. Deux parlementaires d'expérience qui se respectent… Joe Clark demeure un ami.

9. Fidel Castro et moi, dans une limousine russe à La Havane, en 1998. Nous étions demeurés immobilisés 30 minutes sous un pont.

10. L'ex-premier ministre britannique Tony Blair et son épouse, Cherie. La seule femme que je peux appeler «Chérie» sans que mon épouse Aline ne s'y objecte.

11. Le président Français Jacques Chirac préférait la bière au vin, au grand étonnement de nos hôtes.

12. Ronde de golf avec le président Clinton, à Mont-Tremblant.

13. À la rencontre du G7, à Birmingham, en Angleterre, en mai 1998, Bill Clinton et moi avons fait faux bond à nos gardes du corps. Même si je suis de 13 ans son aîné, j'ai eu beaucoup plus de facilité que le président américain à enjamber ce mur. Il mangeait trop de hamburgers à cette époque...

14. Avec mon épouse Aline, dans le Parc national de la Mauricie.

15. Bill Clinton et moi nous entendions comme des collégiens.

▶ 16.   Lucien Bouchard et moi. Pour une fois, nous étions d'accord…

17. L'une de mes nombreuses rencontres avec Sa Majesté le reine Elisabeth II.
Elle aime bien rire.

18. En grande conversation avec mon regretté ami Helmut Schmidt,
ex-chancelier d'Allemagne.

19. L'ancien premier ministre britannique John Major, un fidèle allié.

20. Une audience émouvante avec le pape Jean-Paul II.

21. À une représentation de Starmania, à Paris, avec le président François Mitterrand, en présence de Luc Plamondon.

l'industrie du bois, si importante pour la Colombie-Britannique. Le comité de citoyens avait organisé une grande manifestation où devaient venir plus d'un millier de personnes, ce qui avait eu beaucoup d'impact dans les médias. À titre d'orateur principal pour l'occasion, j'avais demandé au premier ministre provincial William Andrew Cecil Bennett de me rencontrer quelques heures avant la manifestation.

W. C. Bennett était un personnage politique très coloré, sympathique et populaire. Il était d'origine rurale comme moi et, le connaissant, j'étais à l'aise avec lui. Il m'avait reçu gentiment, mais j'avais des difficultés à le convaincre.

Alors, j'ai pris mon courage à deux mains et lui ai dit: «Ce soir, je m'adresse à une foule très nombreuse qui veut que ce site unique soit préservé pour les générations futures. Dois-je leur dire que vous êtes un bon gars ou un S. O. B. ?» Il m'a répondu: «Dites-leur que je suis un bon gars.» C'est ainsi qu'est né l'un des plus beaux parcs nationaux du pays. Je suis demeuré en contact avec lui jusqu'à sa mort. Pour ses funérailles, la famille a expressément demandé que je sois le représentant du gouvernement fédéral. Tout est bien qui finit bien.

Ce qui fut compliqué, long et fastidieux pour neuf de mes dix parcs nationaux fut plutôt facile pour le parc Auyuittuq, situé à l'est de la Terre de Baffin. Au cours d'une de mes visites dans cette région, nous volions à basse altitude parce que le pilote de l'avion voulait nous faire voir le magnifique fjord allant de Pangnirtung à Broughton Island. La vue était superbe, de chaque côté il y avait des escarpements très hauts coiffés d'énormes glaciers. C'était à couper le souffle et ça n'avait rien à envier aux fjords de Norvège. J'étais assis auprès d'Aline, qui trouvait que j'étais excité par l'expérience, mais appréciait le spectacle comme moi, alors je lui dis : « Je vais faire un parc de ce territoire en ton honneur. »

De retour au bureau, j'ai fait venir mes collaborateurs et nous avons établi les périmètres du territoire requis. Ensuite, j'ai consulté le ministre du Nord, Jean Chrétien, le ministre des Affaires autochtones, Jean Chrétien, et enfin le ministre des Parcs, Jean Chrétien. L'accord des trois a ainsi donné naissance au parc national Auyuittuq, un territoire spectaculaire qui demeurera intact et protégé pour les générations futures. En faisant ces dix parcs entre 1968 et 1976, nous avons doublé le nombre d'acres de terre incorporée dans les parcs du Canada. De plus, entre 1993 et 2003, avec mes excellents ministres de l'Environnement, Sheila Copps et David Anderson, nous avons doublé l'étendue des parcs nationaux encore une fois.

Dans 50, 100 ans, plus personne ne se souviendra des noms des ministres responsables de ces réalisations, mais tous en seront reconnaissants. Alors, quand on me demande quelles sont mes plus grandes réussites en quarante ans de vie politique, personne ne pense à Parcs Canada. Mais moi, j'y pense, et je remercie Alfred Frame, président de l'Association des parcs nationaux du Canada, de m'avoir mis au défi durant l'été de 1968. Les 5 $ qu'il a risqués à l'époque auront provoqué un investissement immense et durable.

21

« Mangez-vous du bœuf, monsieur le chancelier ? »

Durant ma longue carrière politique, s'il y a un poste qui m'a le plus fasciné, c'est bien celui de ministre des Affaires indiennes et du Nord canadien. En fait, je suis demeuré amoureux du «Grand Nord», des fjords de la Terre de Baffin aux montagnes majestueuses du Yukon; des villages inuits de la baie d'Hudson jusqu'à Grise Fiord et Alert, le poste le plus au nord de l'île Ellesmere; de l'immense toundra probablement plus vaste que l'Europe allant de Rankin Inlet à la chaîne de montagnes Richardson qui sépare le Yukon des Territoires du Nord-Ouest. J'étais d'ailleurs tellement émerveillé qu'une fois, en faisant un discours au Texas, j'avais dit que la grandeur de l'État m'impressionnait beaucoup, car elle équivalait tout de même à un vingtième du territoire du Grand Nord canadien.

Mes responsabilités ministérielles m'ont donné le grand privilège de prendre d'innombrables décisions qui m'ont laissé beaucoup de satisfaction. C'est ainsi que l'éducation en langue inuktitut et l'enseignement de la culture et de l'histoire autochtones ont été permis. Des écoles et des hôpitaux ont été construits ; des mines de diamant, de cuivre et autres minerais ont été ouvertes, etc. Mais c'est plus particulièrement mon travail sur la démocratie qui m'amène à vous raconter l'anecdote suivante.

En 1968, le gouvernement du Nord était la chose d'un seul homme : le ministre… Un vrai système colonial. Le ministre nommait le commissaire, le budget était préparé par Ottawa. Il y avait bien un Conseil, mais la moitié de ses membres étaient nommés par Ottawa, et de toute façon, le commissaire avait effectivement le droit de veto. Le dernier membre non élu que j'ai nommé a été Pierre Genest, éminent juriste ontarien francophone, le premier de langue française à devenir président du Barreau de l'Ontario et aussi un de mes bons amis. Pierre était un personnage très coloré, qui aimait bien son martini après le travail. Or au début de janvier, le Conseil devait approuver l'augmentation de la taxe sur l'alcool suggérée par les bureaucrates d'Ottawa.

Pierre avait eu de la difficulté à se rendre à la réunion. Il y avait ce jour-là une tempête épouvantable à l'extérieur et le thermomètre marquait 30 degrés sous 0. Enfin, il avait pris la parole et, avec une éloquence très applaudie par l'assistance, il avait proclamé que l'augmentation du prix de l'alcool à Yellowknife était inhumaine, que les bureaucrates d'Ottawa étaient des sans-cœur, etc. Quel succès il avait eu ! Le commissaire Stu Hodgson m'avait informé du « brouhaha » et j'avais décidé de passer outre la résistance des bureaucrates pour faire de l'Assemblée une Chambre d'élus qui pourrait dorénavant négocier avec mes fonctionnaires, même si 90 % des ressources financières venaient de la capitale nationale. Ce fut la fin du mandat au Conseil des Territoires pour le Sieur Genest...

Par la suite, j'avais dit à Pierre que sa famille aura marqué l'histoire du Canada à deux moments : « Le premier lorsque ton grand-père Samuel Genest, dont une école porte le nom à Ottawa, aura été l'avocat condamné à la prison quand le règlement 17 abolissant la langue française dans les écoles en Ontario avait été voté. Et l'autre, c'est quand ta fronde au Conseil a donné naissance à la démocratie dans les Territoires du Nord-Ouest. Pierre, je lève mon verre à la santé des Genest franco-ontariens ! »

Lorsque je suis devenu premier ministre, mon gouvernement a passé la loi qui a créé un troisième Territoire du Nord, le Nunavut. Quel plaisir de voir un immense territoire plus vaste que la France être maintenant dirigé par des élus nécessairement inuits, puisqu'ils forment 90 % de la population. J'avais remarqué à Bonn, dans le bureau du chancelier Helmut Kohl, que des sculptures inuites tenaient une place avantageuse parmi les nombreux souvenirs exposés dans cette pièce excessivement grande à mon avis. Il y avait alors un énorme débat en Europe sur la chasse aux phoques. Kohl me disait qu'il recevait dix fois plus de représentations sur la chasse aux phoques que sur les milliers d'Africains qui mourraient de faim à l'époque. De fil en aiguille, je l'ai invité à visiter la Terre de Baffin. Quand nous étions à Cape Dorset en 1995, dans la coopérative des sculpteurs j'avais demandé à Helmut d'accorder quelques minutes d'audience à Jack Anawak, le député fédéral du coin qui devint par la suite le premier commissaire du Nunavut. Jack était un Inuit, né dans un igloo. C'était un vrai de vrai.

Très directement, il avait demandé au chancelier allemand, qui mesurait 6 pieds 5 et pesait plus de 300 livres : «Mangez-vous du bœuf, monsieur le chancelier, mangez-vous du porc ? » La réponse fut nécessairement oui, et Anawak de lui répondre : «Eh bien, moi, je mange du phoque ! J'imagine qu'avec les peaux des bœufs et des porcs vous faites des chaussures, des sacs à main et des vêtements, alors pourquoi nous ne pourrions par nous aussi vendre des chaussures, des sacs à main et des vêtements avec la peau des phoques que nous mangeons ? »

Helmut Kohl était demeuré «bouche bée». Après que Jack lui eut expliqué que les Inuits ne tuaient pas les «bébés phoques», les blanchons, le chancelier était devenu beaucoup plus conciliant et sympathisant de la cause des chasseurs du Grand Nord. Ainsi, il n'était pas nécessaire d'être diplômé de Harvard pour convaincre même les plus puissants.

Tant qu'à parler de la chasse aux phoques, peut-être pourrais-je vous raconter un autre incident à ce sujet. Je visitais Saint-Malo, en France, et le maire de la ville, qui était en campagne électorale, avait décidé de profiter de la présence du premier ministre canadien pour m'apostropher parce que nous avions arrêté la pêche à la morue sur les bancs de Terre-Neuve, où plusieurs pêcheurs de sa ville allaient chaque année. Dans mon discours de réponse, je lui avais dit que peut-être il devait parler avec Brigitte Bardot pour qu'elle modère sa campagne contre la chasse aux phoques. Je lui ai expliqué que les chasseurs ne pouvant plus vendre les peaux de phoques, ils ne chassaient plus et que le surpeuplement des phoques, qui se nourrissent de morue, avait réduit à un niveau tellement bas les stocks qu'il fallait arrêter la pêche.

Après la cérémonie, une jeune journaliste de la télévision m'avait coincé pour me dire : « Vous avez affirmé que les phoques se nourrissaient de morue. Est-ce que vous êtes sûr de ce que vous affirmez ? » « Je ne suis pas absolument sûr, mademoiselle, car je ne suis pas un phoque, mais nos biologistes l'affirment. Par contre, je suis absolument sûr qu'ils ne mangent pas de bœuf… » Ce n'était pas très gentil, mais le maire ne l'avait pas été non plus. Ceux qui m'ont écouté ont dû réaliser que même si mes ancêtres ont quitté la France au XVIIe siècle à partir de Saint-Malo, ils ont gardé et transmis certaines caractéristiques françaises !

Cela étant dit, il y a un aspect de la région qui me préoccupe encore, et c'est la souveraineté dans les îles de l'Arctique. Alors que j'étais le ministre du Nord dans les années 1970, les Américains avaient envoyé un gros navire, le *Manhattan*, pour traverser le passage du Nord-Ouest sans demander la permission à nos autorités côtières. Le geste souleva l'ire des politiciens, journalistes et commentateurs canadiens. Après discussion avec le premier ministre Trudeau, je m'étais rendu dans le Nord près de Pond Inlet. À bord du brise-glace *Louis St-Laurent*, qui se trouvait tout près du *Manhattan*, j'avais appelé le capitaine du navire américain pour lui souhaiter la bienvenue dans les eaux canadiennes et l'informer que j'allais le visiter sur son navire, sur lequel je m'attendais à voir flotter le drapeau canadien, comme c'est la règle lorsque nous sommes dans des eaux territoriales étrangères. Je me demandais bien ce que je ferais s'il n'obtempérait pas à mon vœu ! C'est donc avec soulagement que j'ai vu flotter l'unifolié sur le *Manhattan* quand nous nous sommes posés en hélicoptère sur le pont du navire. Or aujourd'hui, les Américains, les Chinois, les Japonais et bien d'autres ne reconnaissent pas que les eaux de l'Arctique sont canadiennes et donc que les ressources naturelles sous ses glaces nous appartiennent. Le problème est le même pour les Russes de l'autre côté de la calotte polaire.

Alors que j'approuvais la préoccupation du gouvernement Harper sur la souveraineté du Nord canadien, je trouvais qu'il était imprudent d'être aussi agressif à l'égard des Russes, car dans la lutte pour faire reconnaître nos droits sur les eaux de l'Arctique, ce sont nos principaux alliés. Pour affirmer leur souveraineté, ils ont déjà déposé des drapeaux russes sur le fond de leur mer arctique.

Ils sont de facto nos plus puissants alliés dans cette bataille titanesque qui viendra nécessairement dans le futur. Dans l'élaboration de nos politiques vis-à-vis de la Russie, il nous faut donc tenir compte de cette réalité si nous voulons garder le contrôle des eaux de l'Arctique, et j'étais bien mal à l'aise lorsqu'un ministre canadien du gouvernement Harper a engueulé le ministre russe qui assistait à une conférence des pays nordiques à Iqaluit il y a quelques années. La prudence et la modération sont toujours de mise…

22

De Trans-Canada Airlines à Air Canada

Nous sommes le 5 mars 2017 et il est 14 h à Londres, où je m'apprête à prendre un vol pour Montréal. Au cours des derniers jours, dans la capitale britannique, j'ai vécu des moments sans grande importance en soi, mais intéressants à mon avis.

En arrivant dans l'immense aéroport Heathrow avec mon compagnon de voyage, Bruce Hartley, nous cherchons le nom d'Air Canada sur un immense panneau. Évidemment, le premier sur la liste en ordre alphabétique est celui de notre transporteur national, et je dis à Bruce : « C'est grâce à moi si nous sommes en haut de la liste. »

De fait, en 1964, alors tout nouveau député fédéral, j'avais présenté à la Chambre des communes un projet de loi privé pour changer le nom de Trans-Canada Airlines (TCA) en Air Canada (AC). Les initiatives de simple député devenaient très rarement loi, parce que nous n'avions qu'une heure pour les faire passer et les leaders parlementaires s'assuraient qu'il y avait assez de députés pour parler jusqu'à la fin de l'heure. Ainsi, la deuxième lecture n'étant pas terminée, l'initiative disparaissait alors de l'ordre du jour. Quand j'ai appris que mon projet de loi allait être débattu le lendemain, j'ai demandé à certains amis d'indiquer à leur whip qu'ils voulaient s'exprimer sur le sujet. Avec les six députés qui avaient demandé la parole, il était clair que le projet de loi ne pouvait être adopté dans l'heure allouée et allait ainsi mourir de sa belle mort parlementaire. Alors, le travail des whips était en principe terminé. C'est à ce moment-là que j'ai enclenché une démarche stratégique en demandant d'abord à Rémi Paul, député conservateur, de ne parler que deux minutes. J'avais fait de même avec Réal Caouette, chef des créditistes. Un député néodémocrate de la Colombie-Britannique parfaitement bilingue, Bob Prittie, avait acquiescé à la même requête, et j'avais aussi demandé à deux de mes amis libéraux de rester assis. À 17 h, je me suis levé de mon siège pour faire un court discours de cinq minutes. J'ai indiqué qu'il y avait déjà deux autres TCA (Trans Caribbean Air et Trans Continental Airlines), si bien que, dans les aéroports, Trans-Canada Airlines arrivait toujours en bas de liste, mêlé aux deux autres.

J'ai aussi plaidé qu'en plus d'être naturellement bilingue, l'appellation Air Canada (AC) nous mettrait en ordre alphabétique au haut de la liste des panneaux d'affichage des aéroports du monde entier. Rémi Paul s'est levé en déclarant simplement : « Je suis d'accord. » Réal Caouette a fait de même, tout comme Bob Prittie dans un impeccable français. Les deux amis libéraux ne se sont pas levés. Tant et si bien qu'après seulement 15 minutes il n'y avait plus d'orateurs, et le président de la Chambre a dû déclarer que la deuxième lecture du projet de loi était approuvée. En vertu des règlements, il fallait maintenant l'approuver en troisième lecture, sinon aucun autre projet de loi de député ne pouvait apparaître à l'ordre du jour aux sessions suivantes. C'est ainsi que Trans-Canada Airlines (TCA) a disparu et qu'Air Canada (AC) est né. Le lendemain, j'ai reçu une lettre du premier ministre Pearson qui me félicitait de ce succès.

Par ailleurs, hier, le 4 mars 2017, était un jour spécial en Grande-Bretagne et dans le reste du Commonwealth. Le prince Philip a annoncé sa retraite. La même journée, la reine recevait les membres de l'Ordre du Mérite, auquel j'ai accédé par la volonté de Sa Majesté, laquelle a ainsi fait de moi le quatrième membre canadien depuis 1902. On m'a fait asseoir à la droite du prince Philip pour le déjeuner. J'ai compris très rapidement qu'à 95 ans il en avait assez, même s'il était encore en excellente forme pour un homme de son âge. Passer 64 ans dans l'ombre de sa femme, c'est peut-être un peu long, pour un homme du caractère de Philip. J'avais rencontré le prince en 1967 lors des fêtes du centenaire de la Confédération. Alors que je le félicitais de la qualité de son français, je lui dis : « Votre Altesse Royale, vous parlez bien français pour un Anglais ! » « Jeune homme ! me répondit-il. Je ne suis pas Anglais, et je parlais français avant votre naissance. » Ce fut la fin de cette conversation.

En revanche, durant ce déjeuner de plus d'une heure et quart, nous avons parlé de bien des choses, du Canada, bien sûr, du monde, de Trump et de bien d'autres sujets avec beaucoup d'humour et, je crois, un peu au détriment de son voisin de gauche, le très célèbre architecte britannique Norman Foster.

Or, comme Aline ne pouvait être du voyage, je me suis fait accompagner de ma petite-fille Jacqueline Desmarais de Croÿ. L'époux de Jacqueline, Hadrien de Croÿ, est descendant d'une des familles les plus anciennes de l'aristocratie belge, à l'apogée de sa puissance à l'époque de Charles Quint au XVIᵉ siècle et ayant eu un royaume dans l'ancien Empire, à cheval entre l'Allemagne et la Belgique d'aujourd'hui. Cela étant dit, Jacqueline lui avait intimé avant de partir pour Londres : « Hadrien, toi, tu t'occupes des enfants ici à Bruxelles. C'est moi qui vais aller déjeuner avec la reine d'Angleterre. » Quelle ne fut pas néanmoins ma surprise de lire sur le carton d'invitation de Jacqueline « Her Serene Highness Princess Hadrien de Croÿ-Roeulx », moi qui suis né à Belgoville, un village ainsi appelé en raison des investisseurs belges qui ont fourni le capital pour bâtir l'usine de papier « Belgo », où mon père a gagné sa vie pendant 50 ans. Le tout fait à la fois sourire et un petit velours…

À la sortie du palais Saint James après un service religieux dans la chapelle privée de la reine et un excellent déjeuner avec Sa Majesté, le prince Philip et les autres membres de l'Ordre du Mérite, Jacqueline m'a dit, sourire au coin, qu'un membre du service du protocole s'était excusé auprès d'elle, car en vertu de l'ordre de préséance établi pour les royautés européennes, c'est elle qui aurait dû être assise à côté du prince Philip. « Ah, vraiment ! » lui répondis-je…

23

Mon ami Yvon

Cette soirée du lundi 8 mai 2017, je revenais de Shawinigan après avoir assisté aux funérailles de mon ami d'enfance Yvon Boisvert, qui est né comme moi à Belgoville, toute petite banlieue de Shawinigan, et des souvenirs de mon enfance se bousculaient dans mon esprit. D'abord, le nom de Belgoville est né d'une situation cocasse de la politique. L'ingénieur belge Hubert Biermans était au début du XXe siècle l'étoile des dépannages économiques de son pays. On lui avait d'abord demandé d'aller remettre en marche le chemin de fer du Congo belge, lequel était dans une situation désastreuse en raison notamment des maladies tropicales qui tuaient par centaines les ouvriers belges. Lorsqu'il eut terminé ce travail incroyablement difficile, on lui a demandé de venir au Québec pour remettre sur pied un autre projet en difficulté, celui d'une usine de pâte et papier. Cette fois-là, il a décidé de rester au Canada et pris la direction de cette papetière. Il est ainsi devenu citoyen de Shawinigan, et l'un de ses compagnons, Beaudry Leman, est devenu maire de ce qui s'appelait alors Shawinigan Falls.

Monsieur Biermans avait attrapé la piqûre de la politique et décidé de devenir député. À l'époque, dans notre région, être choisi comme candidat libéral assurait pratiquement de devenir député, mais il échoua à la convention libérale. Comme il était le plus gros employeur à Shawinigan et qu'il n'avait pas eu l'appui de ses concitoyens, il s'était fâché et avait décidé de bâtir une ville de l'autre côté de la petite rivière. Ainsi naquit Belgoville, mais après avoir bâti 30 maisons, il s'était calmé et avait fait annexer Belgoville au village de la Baie-de-Shawinigan. Le père d'Yvon Boisvert en était le maire et mon père, le secrétaire-trésorier ; ce qui créait un lien encore plus particulier entre Yvon et moi.

Tous nos coups, les bons comme les mauvais, à l'école, dans la rue et dans les sports, nous les avons le plus souvent partagés dans notre jeunesse. Yvon n'a jamais quitté Belgoville. Après ses études secondaires, il est devenu un fonctionnaire fidèle du ministère de la Main-d'œuvre. Pendant plus de 35 ans, sa préoccupation quotidienne a été d'aider les ouvriers en difficulté. Il était pianiste à ses heures et faisait danser les gens deux ou trois fois par semaine avec des copains musiciens. C'était également l'organiste à l'église ; il dirigeait le cœur de chant et était toujours membre actif de toutes les initiatives locales. Il n'a jamais quitté la maison dans laquelle il a élevé une famille de huit enfants avec sa fidèle compagne, Réjeanne. Il avait trois passe-temps : son jardin, faire campagne pour son ami « Ti-Jean » et se bercer sur une balançoire placée devant sa maison.

Tous les soirs, après sa longue journée de travail, il s'assoyait sur sa célèbre balançoire. Tout le monde venait s'asseoir avec lui. Il pouvait être très drôle. Toujours charmant. Et comme on dit, il avait des idées très claires et il les exprimait avec grande conviction. C'était un catholique pratiquant comme on en voit peu maintenant. Un jour, le toit de l'église s'étant effondré, il a réussi à le rebâtir avec l'aide de tout le monde et l'appui du programme fédéral des travaux d'hiver. Comme il avait eu le soutien de son député fédéral «Ti-Jean», lorsque les travaux furent terminés, il m'a invité à visiter sa réussite avec beaucoup de fierté. En le félicitant, je lui avais dit: «Yvon, tu es aussi rouge que moi, et tout ton chef-d'œuvre, les bancs, les murs, le plafond, tout est peint en bleu – pas une seule goutte de peinture rouge –, ça me surprend!» «Ti-Jean, m'avait-il répondu, j'ai commis un péché mortel et je devrai m'en confesser.»

Cet après-midi du 8 mai 2017, il a eu droit à un service religieux comme on n'en voit plus. L'église était remplie, le curé a fait un sermon court et d'excellente qualité, le chant magnifique était interprété par quinze religieux et dix-huit religieuses vivant en communauté dans la paroisse. Yvon avait aidé à former cette chorale unique. Beaucoup de larmes sobres et dignes ont coulé et deux de ses filles ont prononcé des hommages bien sentis. L'une d'elles nous a raconté que son père ne voulait jamais voyager. Il était heureux chez lui à Belgoville, où tous venaient le voir sur la rue Biermans; souvent le premier ministre du Canada, bien sûr, mais aussi les présidents de France, du Chili, d'Israël, et le premier ministre de Belgique. Alors, pourquoi quitter sa balançoire?

Eh bien oui, comme j'ai eu le plaisir de recevoir chez moi à Shawinigan Jacques Chirac, Ricardo Lagos, Shimon Peres et Jean-Luc Dehaene, je leur ai fait voir ce quartier ouvrier où je suis né et, juste à côté de notre ancienne maison, ces chefs d'État et de gouvernement ont salué mon ami Yvon. Et même devant eux, il m'appelait « Ti-Jean » et saluait « la belle Aline ». Ce fut pour tout le monde un moment unique plein de reconnaissance, de respect et d'amour.

Pendant les trois dernières années de sa vie, il a vécu dans une maison de repos, terrassé par la terrible maladie d'Alzheimer. Tous les jours, il demandait à retourner à Belgoville. Il y est enfin retourné pour toujours et repose maintenant au cimetière qu'il a aidé à entretenir sur le haut de la côte avec une belle vue sur la rivière Saint-Maurice.

La vie m'a mené très loin de Belgoville alors qu'Yvon Boisvert y a entièrement passé la sienne, sur la rue Biermans. En ce triste après-midi, il était clair que point n'est besoin de devenir premier ministre pour mener une vie utile à sa communauté. Tout Belgoville l'a exprimé chaleureusement ce jour-là.

Bravo, mon ami Yvon ! Tu as magnifiquement réussi ta vie !

24

Vitesse, policiers et Acadiens

Pendant mes 40 années de vie politique, nous avons été obligés, Aline et moi, de gérer deux résidences, l'une à Shawinigan et l'autre à Ottawa. Nous étions sur la route toutes les fins de semaine et, comme la vie politique nous tenait très occupés et pressés par le temps pour tout faire, il nous arrivait d'excéder la vitesse permise. Aline faisait le trajet de quatre à cinq heures avec les enfants, qui trouvaient ça bien long. Il lui arrivait donc de transférer un peu de cette pression à l'accélérateur, au point où elle a failli perdre son permis de conduire à quelques reprises. Mais il en découle quelques bonnes petites histoires.

Le matin du 21 août 1979, j'ai quitté Shawinigan pour me rendre à Ottawa afin d'assister aux funérailles de l'ancien premier ministre John Diefenbaker. À la hauteur de Berthierville, un policier m'a arrêté parce que j'allais vraiment trop vite.

Pour éviter une contravention, je lui ai dit: «Je m'excuse, monsieur l'agent, mais si je vais vite, c'est parce que je vais être en retard au service funèbre de Diefenbaker, et je veux m'assurer qu'il est vraiment mort.» Me laissant aller sans me donner de contravention, le policier, qui ne manquait certainement pas d'humour, m'a rétorqué du tac au tac: «Assurez-vous que c'est bien vrai!»

Une autre fois, à l'automne de 1984, j'allais d'Ottawa vers le lac des Piles avec une nouvelle voiture que je conduisais avec un plaisir particulier après avoir perdu mon poste de ministre, et la voiture de fonction qui venait avec, à la suite de la victoire de Brian Mulroney. À la hauteur de Louiseville, j'ai voulu tester la vitesse maximale de ce nouveau véhicule. Évidemment, j'ai dépassé de beaucoup la vitesse permise et me suis fait arrêter par la police provinciale. J'ai remis mon permis de conduire au policier, qui est retourné à sa voiture. J'ai regardé dans le rétroviseur et l'ai vu rire avec son collègue. Je me suis dit: «Oh là là! Ça va me coûter cher.» Les deux policiers se sont avancés vers moi et m'ont regardé d'un air narquois. L'un d'eux m'a dit: «Nous sommes en négociation avec le gouvernement de monsieur Lévesque pour le renouvellement de notre convention collective et ça ne va pas très bien pour nous. Alors, si vous nous promettez de continuer à être agressif avec lui, nous vous laissons partir sans contravention.» Ce ne fut pas très difficile pour moi de leur dire que je n'avais qu'à rester moi-même pour remplir leurs vœux. Et j'ai donc repris la route avec le plus beau des souvenirs, et bien sûr sans contravention.

Après avoir quitté la vie politique pour quelques années en 1986, j'ai rejoint un bureau d'avocats à Ottawa et j'ai également travaillé à Montréal pour Gordon Capital. Un jour, j'ai accepté un déjeuner très important dans la métropole, mais avant de m'y rendre je me suis arrêté dans une école pour faire bénévolement une présentation. En sortant, j'ai constaté que j'avais une contravention. J'ai ensuite été retardé par une série de travaux publics et enfin, avec beaucoup de retard, j'ai finalement foncé sur l'autoroute, l'accélérateur à fond. Quelques kilomètres plus loin, un policier m'a arrêté et je lui ai dit : « C'est pas ma journée ; je fais du bénévolat dans une école que je quitte avec un billet d'infraction de stationnement ; je suis déjà en retard et des travaux publics me ralentissent encore plus ; et maintenant, vous ajoutez la cerise sur le gâteau et mon déjeuner est foutu. » « Écoutez, monsieur Chrétien, je suis un de vos plus grands fans et c'est avec plaisir que je vous rends service. Suivez-moi et vous serez à l'heure. » Il saute dans sa voiture, actionne les gyrophares et la sirène et nous voilà partis à 140 km/h. Même si c'était un policier ontarien, il a continué sa course sur une longue distance en territoire québécois. Puis, il s'est arrêté, m'a serré la main en me demandant de revenir en politique. Je n'ai pas eu de contravention et il m'a souhaité bonne chance en me servant néanmoins une petite mise en garde : « Ne racontez ça à personne, car j'aurais des problèmes… » Je suis arrivé à temps à mon rendez-vous avec un beau sourire. Il y a des jours comme ça qui commencent mal, mais qui malgré tout finissent bien…

En 1990, j'ai effectué un retour en politique à la tête du Parti libéral du Canada et je suis devenu député de la circonscription de Beauséjour au Nouveau-Brunswick à l'occasion d'une élection partielle. Je le suis demeuré pendant trois ans et, pour Aline et moi, ce fut une expérience fantastique de servir les Acadiens et les anglophones de cette région. Nous avons eu le privilège de côtoyer les descendants du peuple acadien, ce peuple fier qui a connu la déportation et est revenu au pays courageux et plus déterminé que jamais. Les Acadiens forment maintenant près du tiers de la population de cette province. Au sommet du G8 à Halifax en 1995, la chanteuse acadienne Marie-Jo Thériault a interprété *Évangeline* pour les conjoints des chefs d'État; c'était la plus belle façon de raconter l'histoire de son peuple. Tellement émue, l'épouse de Boris Eltsine en pleurait à chaudes larmes.

Ces francophones hors Québec sont pour moi des gens inspirants qui ont su garder la langue et la culture françaises en milieu minoritaire. D'une certaine façon, je trouve qu'ils ont encore plus de mérite que nous, francophones québécois. Un jour où Aline conduisait une voiture un peu trop vite en terre acadienne, elle s'est fait arrêter par un agent de la «police montée», comme on dit là-bas. Dans le langage coloré de la région, le «chiac», le policier lui a demandé son permis de conduire, pour finalement réaliser à qui il avait affaire. Il lui a alors dit: «Ton nom, c'est Aline Chrétien. Es-tu la femme du Chrétien que je vois toujours à la TV? Ah ben! Ça parle... J'ai mon voyage! Je pourrais-tu te donner un avertissement?» Il y a des jours comme ça où on aime bien les policiers... et on est heureux de vivre avec eux et chez les Acadiens...

25

Du général de Gaulle à Jacques Chirac

Il y a 50 ans cette année, nous célébrions le centenaire de la Confédération, dont l'activité la plus spectaculaire fut sans conteste l'Exposition universelle de Montréal. Le rêve du maire Jean Drapeau fut un éclatant succès. Durant l'été 1967, les têtes couronnées et les chefs d'État du monde entier sont venus à Montréal en grand nombre, et la visite la plus remarquée fut celle du général de Gaulle. De tous les membres du cabinet fédéral, je suis parmi les tout derniers à pouvoir encore en parler.

Le fameux cri « Vive le Québec libre ! » du président français Charles de Gaulle fait encore débat. Avait-il lâché sa fameuse déclaration sous le coup de l'émotion devant une foule immense et enthousiaste à l'hôtel de ville de Montréal ou avait-il au contraire planifié cette sortie spectaculaire bien avant ? Moi, je crois qu'il avait soigneusement préparé la chose.

D'abord, il a remonté le fleuve Saint-Laurent à bord d'un navire français, *Le Colbert*. Lorsque le bateau présidentiel est entré dans les eaux territoriales canadiennes, il a refusé de hisser le drapeau canadien comme l'exige le protocole maritime. La veille, l'épouse du maire Jean Drapeau lui a parlé de son séjour à venir à Montréal et à Ottawa et il lui a répondu qu'il ne se rendrait finalement pas à Ottawa comme prévu. Entre Québec et Montréal, il avait fait un parcours triomphal. À la réception lors de son arrêt à Trois-Rivières, comme ministre fédéral de la région, le maire m'avait présenté avec emphase, soulignant ma jeunesse (j'avais 33 ans) et, dans son esprit, un avenir très prometteur au fédéral. Nous aurions été sur les glaces du Grand Nord que l'atmosphère n'aurait pas été plus froide. Il était assurément plus chaleureux avec les représentants provinciaux. Et comme on sait qu'il préparait toutes ses interventions publiques avec une implacable minutie, il est pour moi clair qu'il savait très bien ce qu'il allait faire trois heures plus tard à Montréal.

Le lendemain, j'étais à la réunion du Cabinet à Ottawa. Le premier ministre Pearson et tous les ministres étaient furieux. Les ministres du Québec encore plus que les autres, et Léo Cadieux, le ministre de la Défense nationale, dit au premier ministre que si de Gaulle venait à Ottawa, il n'y aurait aucun soldat présent pour le saluer. Dès la fin de la réunion, monsieur Pearson informa le président français qu'il n'était plus invité à visiter la capitale et qu'il devait quitter le pays immédiatement.

C'est encore aujourd'hui la plus grande controverse politique que j'aie connue ; une véritable bombe nationale et internationale d'une incroyable ampleur. Le Canada est resté le Canada, le Québec est resté une province du Canada et la France est demeurée la France. Mais quel feu d'artifice!

Cet événement a donné lieu pour moi à quelques anecdotes que je partage avec plaisir. Alors que j'étais ministre des Affaires indiennes et du Nord canadien, j'ai visité les Aborigènes du nord de l'Australie et les Maoris de la Nouvelle-Zélande. Lors d'une escale à Tahiti, j'ai rencontré les autorités locales. Au même moment, une délégation de sénateurs français se trouvait à Papeete. Nous nous étions tous retrouvés à la même réception et une vive discussion s'était engagée entre les élus locaux et les sénateurs de Paris au sujet du degré d'autonomie que devrait avoir ce territoire du Pacifique. J'avais pris la parole et dit au maire: «Monsieur le maire, si cela peut être utile, je peux me rendre à l'hôtel de ville demain et déclarer "Vive le Tahiti libre!"». Bien sûr, tout le monde ne m'a pas trouvé drôle. Nous étions sur la montagne entre les palmiers avec une vue imprenable sur l'océan Pacifique, toutes les tables disposées autour d'un bassin rempli d'orchidées flottantes. Le maire, qui se trouvait face à moi de l'autre côté du bassin, m'a demandé trois ou quatre fois à voix haute: «Monsieur le ministre, vous venez toujours à l'hôtel de ville demain matin?» J'aimerais bien lire le télégramme que le gouverneur de la colonie a expédié aux autorités françaises le lendemain…

À peu près au cours de la même période, je me suis trouvé à Shawinigan pour le bal militaire du 22e régiment d'artillerie. L'invité d'honneur était l'ambassadeur de France Pierre Siraud et l'hôte du bal était le colonel Gérard Dufresne, homme d'affaires de la ville. Le maire avait donné une réception pour monsieur l'ambassadeur et monsieur Dufresne. À un certain moment, le maire a invité l'ambassadeur à prendre la parole.

Comme tout bon Français, il s'exprime avec beaucoup d'élégance et parle de Québec et de Québécois, de France et de Français, mais oublie le Canada et les Canadiens. Le colonel Gérard Dufresne avait la réputation de ne pas avoir la langue dans sa poche, en particulier lorsqu'il avait pris un verre… Sa femme et lui étaient membres de deux vieilles familles très respectées. Leurs pères étaient médecin et pharmacien. Madeleine, l'épouse, était particulièrement bien éduquée et un peu plus bourgeoise que la moyenne. Elle voulait que son mari, en bon hôte de la soirée, se comporte bien et lui avait fait promettre de ne pas boire ce soir-là. Mais c'était beaucoup demander à Gérard…

À la fin de son discours, l'ambassadeur était venu me saluer en me disant: «J'apprends que vous vous rendez bientôt en France, monsieur le ministre, et si je pouvais vous aider, j'en serais très heureux.» Je lui avais répondu: «Vous êtes bien aimable, monsieur l'ambassadeur, mais nous nous en reparlerons quand nous serons tous deux de retour dans notre autre pays à Ottawa.» Aussitôt, Dufresne m'avait donné une tape sur l'épaule en me disant: «Toi, t'es un homme, tab… Viens prendre un verre…»

Deux ou trois verres de scotch plus tard, lorsque Gérard s'est assis face à l'ambassadeur au dîner, il était devenu plutôt volubile. Ce fut un long dîner pour Madeleine et l'invité d'honneur. Dans un langage coloré, très direct et assaisonné d'épithètes savoureuses, l'ambassadeur a appris que la majorité des nationalistes de l'époque avaient combattu l'effort de guerre, appuyé Pétain avec ferveur, caché les collaborateurs dans leurs maisons et leurs couvents, pendant que lui, Gérard Dufresne, portait en terre certains de ses compagnons qui avaient combattu en France et en Hollande, où il avait été blessé, etc., etc. Au moment de faire un petit discours pour remercier son hôte le colonel Gérard Dufresne, l'ambassadeur avait retrouvé à au moins cinq reprises l'usage des mots Canada et Canadiens.

Alors Gérard devint l'hôte parfait, il présentait élégamment l'ambassadeur à tout le monde et l'invitait à danser avec les femmes «toutes élégantes» et toutes à leur bonheur de valser avec un personnage aussi important que l'invité d'honneur, l'ambassadeur de France. Si le dîner avait été plutôt pénible, le bal quant à lui avait été parfait.

Au moment de se quitter, Gérard avait demandé à son invité s'il parlait parfois à son président, le général de Gaulle. L'ambassadeur avait répondu «oui». «Eh bien, dis-lui donc qu'il a un grand admirateur en la personne du colonel Dufresne, qui a fait la guerre à ses côtés pour libérer la mère patrie, et que la prochaine fois qu'il viendra au Canada, qu'il se mêle donc de ses maudites affaires.» Je suis sûr que ce cher monsieur Siraud n'a jamais oublié cette soirée parmi les militaires fédéralistes de Shawinigan.

Lors du Sommet de la Francophonie au Bénin en novembre 1995, peu de temps après le référendum au Québec que le camp du Non avait remporté par une très faible marge, le président Chirac a eu quelques mots qui m'ont déplu.

Peu après son discours, Chirac m'a reçu pour une rencontre bilatérale entre les deux pays piliers de la Francophonie, rencontre au cours de laquelle je lui ai dit assez clairement que ses remarques dans son discours du matin et pendant le référendum n'avaient pas été appréciées. Je lui ai aussi rappelé que si nous, les Canadiens français, étions toujours de langue et de culture françaises, c'était grâce au Canada. Car contrairement aux francophones de la Louisiane et de la Nouvelle-Angleterre, nous avions prospéré au Canada pendant que la langue et la culture françaises disparaissaient effectivement en Louisiane et dans les États du nord-est des États-Unis. Je lui ai appris que mon père, Wellie Chrétien, qui avait passé les dix premières années de sa vie à Manchester au New Hampshire, avait gardé sa langue et sa culture en revenant au Québec, alors que ses cousins des États-Unis étaient devenus des « Christian ». Pour finir ma tirade, debout, j'avais levé les bras au ciel à la de Gaulle en disant au président Chirac qu'il n'aimerait certainement pas que j'aille en France déclarer « Vive la Corse libre ! ».

Les fonctionnaires français et canadiens étaient très surpris, sinon choqués par cette intervention inhabituelle, et plus particulièrement Jean Pelletier, mon chef de cabinet et un grand ami de Chirac. Plus tard, Pelletier m'a dit que mon franc-parler avait impressionné le président français et que, en fait, j'avais gagné son respect. Par la suite, nous sommes devenus de très bons amis, il est venu au Sommet de la Francophonie à Moncton en 1999 et a passé un séjour mémorable avec son épouse, Bernadette, Aline et moi chez les Inuits sur la Terre de Baffin. Deux jours avant que je quitte mon poste de premier ministre en décembre 2003, il a donné un magnifique dîner en mon honneur en présence du premier ministre, du ministre des Affaires étrangères et de la crème de la société française. Dans son discours de circonstance, avec toute l'éloquence dont il est capable, Jacques Chirac a fait l'éloge de la vie politique, économique et sociale de notre pays et conclu en levant son verre pour proclamer « Vive la France, vive le Canada ».

Nous étions maintenant bien loin des propos tenus sur ce fameux balcon de l'hôtel de ville de Montréal en l'année mille neuf cent soixante-sept.

26

Religion et politique :
le débat n'est pas nouveau

C'EST UNE SIMPLE RÉSOLUTION MUNICIPALE PORTANT SUR LES musulmans et les juifs, passée par les échevins de Saint-Timothée d'Hérouxville, qui a déclenché le débat sur les valeurs québécoises qui traumatise notre province depuis tant d'années. Pourtant, à l'époque, aucun membre de ces communautés ne vivait dans ce village situé près de ma ville natale. Quand j'y pense, comme on dit dans le terroir, « j'ai mon voyage » !

Être échevin à Hérouxville, ce n'est pas un travail à plein temps. L'échevin à l'origine du psychodrame a vécu quelque temps au Moyen-Orient et voulait probablement s'amuser quand il a proposé la résolution fatidique qui a fait de lui subito presto une vedette internationale. Cela a provoqué entre autres la commission Bouchard-Taylor et la charte sur les valeurs québécoises du ministre Bernard Drainville. Cette dernière a lourdement contribué à la défaite du gouvernement

Marois aux mains des libéraux de Philippe Couillard. Aujourd'hui, la nouvelle religion au Québec, c'est la laïcité. Un vieux crucifix à l'Assemblée nationale : scandale ! Une prière avant l'assemblée du conseil de ville de Chicoutimi : énorme procès ! Quelle perte d'énergie et de temps… Mais ces débats politiques remontent à bien longtemps.

Au début du XXᵉ siècle, au moment du carême, mon grand-père François Chrétien et son ami le docteur Milette s'étaient vu refuser la communion parce que, durant l'élection, ils avaient distribué de l'alcool pour inciter les citoyens à voter libéral. Or à l'époque, en vertu du droit canon de l'Église catholique, il revenait à l'évêque de lever la sanction pour un tel péché. Comme le docteur Milette et le maire Chrétien ne se trouvaient pas assez importants pour se confesser à l'évêque, ils ont été les deux seuls membres de la communauté interdits de communion durant tout le carême, et cela, au vu et au su de toute la paroisse.

Tous les soirs, ma grand-mère faisait prier la famille pour la conversion du têtu François. Pâques arriva et ni le maire ni le docteur n'avaient observé les rites entourant cette fête sacrée. Quel scandale ! C'était l'enfer assuré pour les deux. Dans la semaine suivant le dimanche de Pâques, il avait néanmoins été possible de se rattraper. En effet, l'évêque de Trois-Rivières avait dépêché un père franciscain vers Saint-Étienne-des-Grès pour confesser Chrétien et Milette. Cela étant fait, ils ont pu recevoir tous les deux la communion le dimanche de la Quasimodo, au grand soulagement du curé et de toute la communauté. Comme le reste de la paroisse, ils pouvaient maintenant aller au ciel. Lorsque mon père nous racontait cette histoire, il disait avec fierté : « C'est l'évêque qui a plié. »

Remplir ses obligations pascales le dimanche de la Quasimodo s'appelait « les Pâques du renard ». Ils avaient pris tout le monde par surprise...

En 1958, Fernand D. Lavergne, influent syndicaliste de Shawinigan et président de la Fédération du Commonwealth coopératif (CCF) au Québec, parti précurseur du Nouveau Parti démocratique (NPD), était candidat à l'élection fédérale. Deux de ses enfants avaient dû se mettre à genoux avec les autres élèves sur les ordres de la sœur enseignante pour prier afin que les communistes ne soient pas élus dans notre circonscription. Ils avaient dû prier pour que leur père perde l'élection. Ils étaient rentrés à la maison les larmes aux yeux et en avaient informé leur père, qui était un catholique pratiquant.

Furieux, Fernand D. s'était rendu à l'Évêché de Trois-Rivières pour demander une audience avec monseigneur Pelletier, un évêque conservateur s'il en est. Évidemment, la conversation fut très dure, comme il fallait s'y attendre. Chacun demeurant sur ses positions, Fernand D. avait dit à l'évêque pour terminer la séance : « Monseigneur, il ne me reste que deux possibilités : comme catholique, je me mets à genoux et vous demande votre bénédiction, ou bien comme citoyen, je vous cr... mon poing s'a yeule. » On dit que l'évêque n'est pas allé à l'hôpital...

Même si Aline et moi sommes des catholiques pratiquants, j'ai connu moi aussi des difficultés avec mon église. Lors d'un vote à la Chambre des communes, j'avais voté pour le droit des femmes à disposer de leur propre corps, donc pour l'avortement. Tout près de notre maison, il y avait une école privée catholique où demeuraient trente sœurs, et comme j'avais été leur élève pendant cinq ans, d'habitude, elles votaient toutes pour moi. Comme elles votaient au même bureau de scrutin que nous, j'ai récolté 28 votes de moins qu'à l'élection précédente. Apparemment, deux d'entre elles avaient désobéi à l'évêque. Son intervention ne m'avait pas nui. J'ai encore remporté facilement l'élection.

Les difficultés ont continué avec l'Église après mon élection comme premier ministre. Mon évêque d'Ottawa m'a écrit une lettre personnelle et confidentielle pour me rappeler mes devoirs religieux, disait-il, et... surprise, surprise, il l'avait mise en ligne sur son site Web. Et comme je n'ai pas voulu bannir l'avortement et que j'ai permis le mariage gai au Canada, l'évêque de Calgary s'était mis de la partie pour déclarer que j'irais en enfer. Quand j'en ai informé Aline, elle m'a répondu : « J'y vais avec toi. Nous ne sommes pas mariés depuis 45 ans pour rien. »

Nous sommes tous deux religieux et pratiquants, car nous avons fait le pari de Pascal : si c'est vrai, nous sommes dans le bon chemin, et si ça ne l'est pas, nous ne perdons rien. Pourquoi courir le risque ?

Par ailleurs, dans un pays aussi diversifié sur les plans ethnique, culturel et religieux que le Canada, j'ai toujours considéré qu'il était politiquement inapproprié de vouloir imposer ses propres valeurs morales et religieuses à l'ensemble de la population.

27

Pourquoi je suis francophone et fédéraliste

Il m'est souvent arrivé de me faire demander comment un individu comme moi, né dans le Québec rural, unilingue à l'époque, diplômé de l'Université Laval de Québec et ayant pratiqué le droit en français seulement; comment donc pouvais-je être un Canadien fédéraliste avec autant de conviction? J'aime répondre que ça doit être en raison de l'histoire de ma famille.

Mon père était un francophone et un catholique très convaincu. Mais sa francophonie n'était pas seulement québécoise. Il a vécu à Manchester au New Hampshire de 1888 à 1898. Une partie de sa famille est restée en Nouvelle-Angleterre, et pendant 50 ans il a été directeur d'une société d'assurance mutuelle dont les membres devaient être de langue française et de religion catholique. La majorité d'entre eux étaient Franco-Américains, et papa était l'un des trois directeurs qui représentaient les Canadiens français. Il a donc vécu le déclin de la langue française en Nouvelle-Angleterre, malgré les efforts héroïques de certains groupes comme l'Association canado-américaine. Comme l'État américain n'avait aucun intérêt dans la préservation des langues minoritaires, la responsabilité de la préservation de la langue française retombait sur les épaules de l'Église catholique, qui s'est bien acquittée de cette tâche jusqu'après la guerre. L'auteur d'un livre qui a fait époque, *On the Road*, Jack Kerouac, l'icône la plus célèbre de la génération *beatnik*, était un francophone né à Lowell au Massachusetts, une ville francophone de la Nouvelle-Angleterre où il a vécu sa jeunesse.

Papa m'a dit un jour que les Chevaliers de Colomb étaient les grands responsables de la perte des écoles françaises, car ils ont sans cesse pressé Rome de faire nommer des Irlandais comme évêques. Ces évêques ont forcé l'amalgamation des écoles catholiques, anglaises et françaises, ce qui a mené à la disparition graduelle des écoles et de la langue françaises.

Ici au Canada, disait-il, notre Constitution nous a permis de garder nos écoles. Il nous disait que si nous parlons encore français, c'est parce que nous sommes Canadiens. Si nous avions vécu aux « États », ce ne serait pas le cas. Voilà une des raisons pour lesquelles il était un grand fédéraliste.

D'autre part, la famille de ma mère a une histoire très canadienne. En 1907, mon père a épousé ma mère à l'église de la Baie-de-Shawinigan, et dès le lendemain, toute la famille a pris le train pour se diriger vers l'Ouest canadien. Ma mère n'avait que 16 ans lorsqu'elle s'est mariée ; une décision qu'elle avait prise en partie pour éviter d'avoir à suivre sa famille dans l'Ouest. L'amour la garda donc au Québec. Toute la famille a pris le train le lendemain du mariage. Père, mère, enfants et nouveaux mariés ont fait le voyage jusqu'à Pembroke en Ontario, où papa et maman ont quitté la caravane familiale afin de poursuivre leur voyage de noces tout près à Chapeau, village annexé plus tard à la municipalité de L'Isle-aux-Allumettes, un endroit très joli sur la rivière des Outaouais. Je suis allé visiter la région il y a quelques années et l'hôtel où ils avaient passé leur lune de miel avait brûlé l'année précédente, après plus de cent dix ans d'existence.

Avec toute la famille, Philippe Boisvert, mon grand-père paternel, a continué son voyage vers le nord de l'Alberta dans une paroisse qui s'appelait Thérien, tout près de la ville de Saint-Paul, laquelle s'appelait alors Saint-Paul-des-Métis. L'Église catholique favorisait alors l'accroissement de la population catholique et française. On parle encore de cette époque comme celle de « la revanche des berceaux ». Et comme il y avait un surplus de population au Québec, beaucoup ont opté pour la « colonisation » de l'Ouest canadien. Le gouvernement fédéral de Wilfrid Laurier avait une politique très agressive d'ouverture des prairies de l'Ouest canadien et beaucoup de Québécois se sont installés dans ses vastes prairies en même temps que des milliers d'immigrants venus notamment d'Ukraine, de Pologne, de Russie, de Hongrie et d'Allemagne. Avec le temps, les six frères et sœurs se sont établis avec leur famille un peu partout en Alberta et en Saskatchewan. Maman recevait des nouvelles de chacun d'eux par la poste et aimait nous tenir au courant de ce qui se passait chez les Boisvert dans l'Ouest. Comme je vivais en ville, je connaissais beaucoup plus l'agriculture des Prairies que celle des cultivateurs de l'Est. L'un de mes oncles avait acheté une « combine » et l'autre, « ½ section » de terre, termes qui m'étaient plus familiers que les arpents de terre de chez nous. La langue française disparaissait graduellement pour ceux qui quittaient leur village francophone pour aller vivre en ville, où il n'y avait pas d'école française.

Un de mes cousins, Rolland Boisvert, a écrit une intéressante biographie, lui qui fut choisi comme bénévole des 50 dernières années à Sherwood Park, banlieue d'Edmonton, pour son implication dans son milieu. Ce bouquin est plein d'anecdotes, dont une en particulier nous montre bien les difficultés d'être francophone à l'époque dans l'Ouest. Son père et son oncle se sont établis à Marengo en Saskatchewan. Son cousin et lui s'étaient présentés à l'école, mais leur professeur leur avait refusé l'accès à sa classe en leur disant de revenir quand ils parleraient anglais. Alors les deux cousins s'étaient retirés dans la cour sur ordre du professeur. Deux francophones seuls dans la cour de l'école, ce n'était pas ce qu'il fallait pour apprendre l'anglais. Comme ils n'avaient rien à faire, ils s'amusaient à lancer des cailloux. À un certain moment, l'un de ces cailloux est passé par-dessus le toit de l'école et a blessé le directeur, qui se trouvait dehors. Celui-ci a finalement trouvé qu'il était moins dangereux d'avoir les deux Boisvert sur les bancs de la classe et avait donc forcé le professeur à les accueillir. Malgré tout, ils ont préservé leur langue tant bien que mal pendant cent ans.

À cause d'eux, quand j'étais le ministre responsable de la Charte des droits, je m'étais donné pour mission d'y inscrire le droit à l'éducation dans l'une des deux langues officielles pour tous les citoyens partout au Canada, et j'ai réussi. Imaginez ma joie lorsqu'une de mes cousines, Marie Boisvert d'Edmonton, me disait récemment que ses deux filles enseignaient le français dans des classes d'immersion, l'une en Alberta et l'autre en Colombie-Britannique! Tout ça, cent dix ans après le départ des Boisvert du Québec vers l'Alberta… Le sort de la langue française, aussi bien en Nouvelle-Angleterre qu'en Alberta et ailleurs au Canada, fait partie de mes gènes. Pour moi, je suis encore francophone parce que je suis Canadien. Voilà!

28

Sur les traces de mon grand-père François Chrétien

MON GRAND-PÈRE FRANÇOIS CHRÉTIEN A ÉTÉ MAIRE DE Saint-Étienne-des-Grès pendant plus de seize ans, d'abord entre 1907 et 1910, puis entre 1914 et 1927. De plus, il a été un des principaux organisateurs libéraux dans la Vallée-du-Saint-Maurice pendant encore plus longtemps. Ainsi, mon père, Wellie, s'est trouvé impliqué très jeune dans les débats politiques. C'était un grand admirateur de sir Wilfrid Laurier ; un de ses meilleurs souvenirs de jeunesse était d'avoir eu le privilège de rencontrer le grand homme à Trois-Rivières. Inévitablement, après s'être établi en permanence à Baie-de-Shawinigan, il est devenu un partisan du Parti libéral, et pendant plus de 40 ans il a été l'organisateur en chef de cette paroisse d'environ 1500 habitants. Il aimait d'ailleurs me dire que sa paroisse avait voté libéral à chacune des élections fédérales et provinciales pendant toute cette longue période. Une de ses ambitions était de faire un politicien de l'un de ses enfants. Alors que j'étais très jeune, il a cru que j'avais l'énergie et le talent qu'il fallait pour remplir cette tâche.

Dès l'âge de 13 ans, je suis devenu son protégé politique. Je l'aidais dans la distribution des prospectus électoraux, affichais les photos des candidats sur les poteaux, écoutais ses discussions politiques avec les citoyens. En somme, il m'entraînait comme un père le fait avec un fils pour qu'il devienne un joueur de hockey. Quand le temps est venu pour moi de choisir une profession à la fin de mes études classiques, je lui ai dit que je voulais devenir architecte, ce à quoi il m'avait répondu que je ne me ferais jamais élire comme architecte et qu'il fallait plutôt m'inscrire à la faculté de droit. À cette époque, quand papa disait quelque chose, on écoutait… point final.

C'est ainsi que je suis devenu avocat et par la suite politicien. Quand il est mort, en 1980, son poulain était député depuis 17 ans et ministre depuis 13 ans ; il était très fier de son coup.

Lors de l'élection fédérale de 1962, à la surprise générale, les créditistes de Réal Caouette balayèrent la partie rurale du Québec et le député de notre circonscription, le respecté maire maintenant âgé J. A. Richard, a été emporté par la vague après avoir servi à la Chambre des communes pendant 13 ans.

Réal Caouette était tout un phénomène. Garagiste de Rouyn-Noranda, il s'était rallié au Parti Crédit social, qui avait des députés de l'Ouest canadien à la Chambre des communes. C'était un parti politique de droite, agricole, populiste qui était né en Alberta avant la guerre. Réal, comme on l'appelait, était un orateur extraordinaire, très coloré, avec un ascendant incroyable sur les foules. La monnaie nationale des pays était à l'époque contrôlée en grande partie par les réserves d'or que l'État possédait. Caouette était éloquent quand il argumentait que les problèmes économiques qu'expérimentait la classe ouvrière étaient dus au fait que la Banque du Canada n'imprimait pas assez d'argent et que si le gouvernement lui ordonnait de mettre plus de « piastres » en circulation et les distribuait à ses électeurs éventuels, ceux-ci iraient dans les magasins et feraient ainsi tourner la roue économique, etc. Tout ça accompagné de sarcasmes très drôles sur la classe aisée de la population. Évidemment, ce cocktail populiste très alléchant était applaudi à tout rompre alors qu'il se promenait dans la province de Québec.

En 1958, lors de la grande victoire de John Diefenbaker, pour la première fois depuis Laurier le Québec avait accordé plus de 50 sièges aux conservateurs. Incroyable surprise pour les libéraux. Mais la surprise fut encore plus grande quand les créditistes de Réal Caouette ont fait élire 26 députés à l'élection générale de 1962. Cette conquête du Québec par Réal Caouette avait rendu le gouvernement conservateur minoritaire, prélude à sa défaite du début de 1963. L'élection fut déclenchée en février pour le 8 avril, et comme j'étais un jeune avocat très impliqué dans la politique depuis mon temps à l'université, l'occasion était belle pour lancer ma carrière – une tâche qui n'allait pas être facile, puisque les créditistes avaient gagné la circonscription avec 10 000 voix de majorité seulement neuf mois auparavant.

Le moral au Parti libéral était à son plus bas depuis la cinglante défaite de J. A. Richard. Très peu de gens croyaient que je pouvais reprendre le siège dès le premier essai et beaucoup disaient que je me préparais pour la fois suivante.

L'équipe de jeunes qui s'était jointe à moi était déterminée à gagner, mais le scepticisme était tellement grand qu'il fallait faire quelque chose de spécial. Un de mes bons amis, Guy Suzor, mit sur pied une équipe de dix personnes qui se déplaçaient dans les endroits publics, comme les tavernes, pour parier 5 $ sur une victoire de Chrétien. Bien des sympathisants créditistes n'avaient pas les 5 $ pour relever le défi, laissant ainsi l'impression que le jeune Chrétien gagnait du terrain. Or, c'est mon frère Maurice, un chirurgien financièrement à l'aise, qui fournissait les fonds à mon ami Suzor pour faire marcher le projet.

Soudain, un homme d'affaires habitué aux paris qui m'appuyait, mais ne croyait pas à mes chances de gagner, avait relevé le défi et déposé 5000 $ au bureau de la Banque de Montréal. Mon père, trois de mes frères et moi-même avions réuni cette somme rondelette pour l'époque et couvert le pari en moins de 24 heures. Aussitôt, le bruit s'était répandu dans la ville de Shawinigan selon lequel le pari avait été relevé très rapidement. Tout ce système avait créé une atmosphère de changement où il se disait dans la rue que le candidat libéral Jean Chrétien était en train de gagner, ce qui s'est effectivement produit le 8 avril 1963. Mon frère Maurice avait risqué plus de 8000 $ et gagné.

Par la suite, il a contribué généreusement à mes campagnes électorales. Alors que 35 ans plus tard il souscrivait encore le maximum permis par la loi, Aline lui fit remarquer que, à 90 ans, ce n'était plus nécessaire. Il lui avait répondu que sa contribution ne représentait en fait que les intérêts sur le capital gagné en 1963… Eh bien!

Presque tous les jours, nous tenions des réunions dans les quarante villages et les quatre villes de la circonscription. À l'époque, les assemblées politiques étaient très à la mode et chaque candidat devait être accompagné de bons orateurs pour convaincre les électeurs présents. Parmi ceux qui m'accompagnaient, la vedette était toujours Fernand D. Lavergne. Il est né dans la même paroisse que moi et était le chef de file des dirigeants ouvriers de la région. En 1958, il avait été candidat dans la circonscription pour le CCF, l'ancêtre du NPD, et aussi leur principal porte-parole au Québec. Lorsque je suis devenu le candidat libéral, il s'est joint à mon équipe. En raison du respect qu'il suscitait parmi les ouvriers syndiqués de la région, il s'est révélé pour nous une incroyable acquisition.

Il parlait avec un bégaiement assez accentué, qu'il utilisait avec énormément d'efficacité. Son sens de l'humour était impayable. En voici un exemple : le député créditiste Gérald Lamy argumentait dans ses présentations que j'étais trop jeune à 29 ans pour être le député, et voici la tirade que lui avait servie Fernand D. en réplique : «Monsieur Lamy, le député créditiste, veut que l'on vote pour lui parce qu'il a 15 enfants. Monsieur Pellerin, le candidat conservateur, veut qu'on vote pour lui parce qu'il en a 14. Moi, je ne me présente pas cette fois-ci, parce que j'en ai seulement 8. Monsieur Lamy a bien du mérite d'avoir 15 enfants, mais s'il est comme nous, il a dû avoir le "fun pour". Jean n'a que 29 ans, et nous, catholiques, n'avons droit qu'à une seule femme. S'il fallait qu'il eût 15 enfants, on se poserait des questions. » Avec l'effet du bégaiement contrôlé, ça donnait à peu près ceci : «En fin de compte, mesdames et messieurs, ce que l'on recherche, c'est un r-r-r-r-r-r-représentant, et non un r-r-r-r-r-r-reproducteur!» Imaginez l'effet d'une telle tirade!

Pierre Trudeau, qui l'avait connu alors qu'il travaillait avec les syndicats et probablement connu comme membre du CCF, m'a dit un jour qu'il était l'ouvrier le plus intelligent qu'il ait connu.

Fernand D. était plus vieux que moi d'une vingtaine d'années et avait un vécu et une expérience tout à fait exceptionnels. Dans sa sagesse, il m'avait donné le meilleur des conseils: «Dans tout ce que tu feras dans la vie publique, fais confiance au jugement du peuple.» Toute ma vie politique, j'ai gardé ça à l'esprit. Merci, Fernand!

29

La vie après la politique

QUE SE PASSE-T-IL QUAND VOUS VOUS RÉVEILLEZ UN JOUR ET que vous n'êtes plus chef de gouvernement? Mike Pearson disait qu'il ne savait plus comment faire un appel téléphonique. Bob Rae, ancien premier ministre de l'Ontario, a déjà dit qu'il s'était assis à l'arrière de l'auto avant de réaliser qu'il n'avait plus de chauffeur.

Quant à moi, deux jours après mon retrait de la vie politique, je suis allé à Montréal avec Aline. J'avais encore accès à une voiture du gouvernement et le conducteur, un agent de la GRC, m'a déposé à l'endroit où j'avais rendez-vous. Ensuite, je lui ai demandé de conduire Aline sur la rue Sherbrooke. Il l'a déposée devant un magasin où elle lui avait demandé de l'attendre. Lorsqu'elle était sortie du magasin, la voiture n'était plus là. Il faisait mauvais et plus d'une vingtaine de centimètres de neige s'étaient accumulés au sol. Il n'y avait plus de cabines téléphoniques sur la rue et elle était la dernière cliente du magasin, qui était maintenant fermé. Désemparée, elle a demandé l'aide d'un passant qui lui a prêté son téléphone portable pour me joindre. Je lui ai dit de m'attendre et j'ai joint le policier, auquel j'ai demandé pourquoi il n'avait pas attendu Aline. Il m'a répondu que son supérieur lui avait dit que madame n'avait plus droit aux services d'un chauffeur. Quand je suis arrivé, 35 minutes plus tard, Aline était sur le trottoir en pleine tempête de neige, transie, sans couvre-chaussures, gelée de la tête aux pieds. Elle n'était plus la femme du premier ministre du Canada depuis 36 heures ; la transition fut brutale…

À part cet incident, le retour à la vie privée pour Aline et moi fut très facile. Je suis devenu avocat-conseil dans un grand bureau. Mes revenus étaient de beaucoup supérieurs au salaire de premier ministre, qui en fait gagne moins que le plus mauvais joueur de hockey de la ligue nationale. Je faisais des discours bien rémunérés au Canada, aux États-Unis, en Europe et même en Afrique. Aline adorait cette nouvelle vie plus tranquille et aimait dire qu'elle avait été l'épouse d'un politicien pendant 40 ans, et pourtant elle souriait encore. Chacun de nous s'est engagé dans des activités bénévoles. Aline a été chancelière de l'Université Laurentienne de Sudbury. Je la taquinais en lui disant que, tant qu'à aller à l'université pour la première fois de sa vie, aussi bien commencer au sommet comme chancelière…

Nous avons été coprésidents de la plus grande cueillette de fonds pour l'Université du Québec à Trois-Rivières. Nous avons discrètement accepté d'être utiles à toute sorte d'organisations caritatives. Ayant promis à une réunion du Commonwealth que le Canada ferait quelque chose de spécial pour célébrer le 60e anniversaire du couronnement de la reine Élisabeth II, le premier ministre Harper m'a demandé de représenter le Canada au comité du Commonwealth présidé par John Major, ancien premier ministre de la Grande-Bretagne. Le Canada a contribué au programme mis en avant par John Major, mais, à la suggestion du gouverneur général David Johnston, j'ai entrepris de faire un projet particulier pour le Canada, soit le programme de bourses du jubilé. J'ai demandé l'aide de plusieurs de mes anciens collègues premiers ministres des provinces et, avec l'aide de mes deux adjoints Bruce Hartley et l'ambassadeur Patrick Parisot, nous avons persuadé le fédéral, les provinces, le secteur privé, les fondations universitaires et d'autres de contribuer. Le tout est maintenant géré par la fondation du gouverneur général. Nous avons accumulé près de 80 millions de dollars. Maintenant, des centaines d'étudiants canadiens et étrangers bénéficient des bourses du jubilé. Je tiens à souligner l'effort particulier des anciens premiers ministres Brian Tobin, Frank McKenna, John Hamm, Roy Romanow et Gordon Campbell. Au début, j'étais mécontent de m'être laissé tordre le bras par Stephen Harper, qui m'avait dit que, puisque j'étais le seul Canadien à avoir été admis à l'Ordre du Mérite de la reine au cours des 50 dernières années, je devais accepter. Maintenant, je suis très heureux d'avoir relevé ce défi. Tout est bien qui finit bien.

Il y a 33 ans, d'anciens chefs d'État et de gouvernement ont formé une association nommée InterAction Council. Figurent parmi les fondateurs, en plus de Pierre Elliott Trudeau, l'ancien chancelier allemand Helmut Schmidt, l'ancien président français Valéry Giscard d'Estaing, les anciens premiers ministres James Callaghan, de Grande-Bretagne, Yasuo Fukuda, du Japon, et Malcolm Fraser, d'Australie. Tous les ans, vingt anciens hommes ou femmes d'État ou plus se réunissent dans un pays différent pour discuter avec des experts bénévoles de la situation politique et sociale du monde. Cette année, par exemple, nous avons discuté de la santé, de l'eau, de l'environnement et de l'effet Trump. Nous étions en Irlande, dans la charmante ville de Dublin.

Pendant très longtemps, le président de facto fut cet intellectuel impressionnant qui quitta l'écriture pour faire de la politique et revint à l'écriture et l'enseignement, l'unique Helmut Schmidt. En fait, il en fut l'âme dirigeante pendant 30 ans, jusqu'à sa retraite à 94 ans pour des raisons de santé. Quand je suis devenu membre de l'InterAction Council, en 2004, Helmut Schmidt en était le coprésident avec Malcolm Fraser, ancien premier ministre australien. En 2007, j'en suis devenu le coprésident, et en 2008, Franz Vranitzky, qui fut chancelier d'Autriche, devint mon coprésident.

Les neuf années passées à la tête de cet organisme m'ont procuré un travail très stimulant. Préparer le programme, tenir des réunions préliminaires avec les experts de pays différents, trouver les fonds pour faire fonctionner le groupe était à la fois exigeant et satisfaisant. J'ai quitté la présidence à la fin de 2016 et l'InterAction Council a terminé sa 34e réunion, en 2017, avec à sa tête les coprésidents Bertie Ahern, ancien premier ministre d'Irlande, et Olusegun Obasanjo, ancien président du Nigeria. Mon ami Tom Axworthy, ancien chef de cabinet de P. E. Trudeau, le volontaire le plus assidu et le participant le plus prolifique, dirige l'organisme à partir de Toronto avec l'aide de l'excellente Tanya Guy, une acquisition du Canada aux dépens du Japon.

Un jour, au cours d'un déjeuner, Bernadette et Jacques Chirac nous ont parlé d'un musée qu'ils avaient bâti dans la commune où Bernadette était maire en Corrèze pour y exposer les cadeaux qu'ils avaient reçus durant leur très longue vie publique. Après avoir visité ce magnifique site d'une architecture et d'un environnement de grande qualité, comme les Français savent en faire, Aline et moi avons décidé d'en faire autant. Comme je me plais à le répéter, « garder 800 cadeaux dans le salon, ça amasse trop de poussière pour Aline ». Nous avons donc mis tous nos cadeaux à la disposition de la Cité de l'énergie, organisme de ma ville natale, Shawinigan. Sous la direction de l'incroyable Robert Trudel, des milliers de personnes visitent chaque année le musée du premier ministre Jean Chrétien sous le thème « Le Canada dans le monde ». Le tout est vraiment bien fait, et ceux qui s'y rendent en sortent surpris, renseignés et très satisfaits.

Au moment où j'écris ces lignes, je suis dans l'avion, au-dessus de l'Atlantique, et je pense à ces 13 dernières années depuis mon retrait de la vie politique. Je viens de passer le bâton de la présidence de l'InterAction Council et je rentre au Canada. Dans quelques jours, Aline et moi quitterons notre vie que nous aimons bien à Ottawa pour passer l'été chez nous au magnifique lac des Piles, en Mauricie, au milieu de ces concitoyens qui m'ont permis de faire cette belle et longue carrière de 40 ans de vie publique. Plus encore, je retourne auprès de mes trois enfants, mes cinq petits-enfants et mes six arrière-petits-enfants, parmi lesquels William, que j'ai accompagné cet hiver dans sa toute première descente en skis. Mais plus important que tout, je retourne vers Aline, l'amour de ma vie depuis 65 ans, dont 60 comme épouse, mon éternel « roc de Gibraltar ». Mon Dieu, que puis-je demander de plus ?

30

Une tournée européenne inspirante

Nous sommes le dimanche 2 juillet 2017 et je reviens d'un court voyage en Europe. J'aurai fêté le 1er juillet avec 700 invités à notre magnifique ambassade à Paris. Drôle d'impression que de fêter le 150e anniversaire du Canada dans la patrie de mes ancêtres qui ont quitté la ville de Loches, dans le département d'Indre-et-Loire, en 1660. Notre ambassadeur, Lawrence Cannon, et le numéro deux de l'ambassade ont été très gentils. Particulièrement ce dernier, Graham Clark, lequel a été pendant deux ans mon adjoint législatif quand je l'ai emprunté au ministère des Affaires étrangères. Il est le fils d'une famille très distinguée du service public à Ottawa. Les journalistes français étaient très enthousiastes à l'idée de me parler de notre premier ministre, Justin Trudeau, et de faire un parallèle entre lui et le président Macron. Ils étaient aussi volubiles à l'égard du président Trump et très heureux qu'il se trouve au même moment un politicien moderne et progressiste à la tête du Canada.

Ils ont été intrigués d'apprendre que j'avais vu, avant la réception, Jacques et Bernadette Chirac. J'ai dû admettre que la santé du président était fragile, mais quand je leur ai relaté qu'il m'avait demandé d'embrasser «la belle Aline», l'un d'eux a dit : «C'est bien notre Chirac!»

Au cours de ma tournée européenne, j'ai fait le trajet de 500 kilomètres en train à grande vitesse (TGV) entre Paris à Strasbourg en moins de deux heures. Le TGV effectue ce trajet de la capitale à une ville de 400 000 habitants six fois par jour. Ce faisant, je me suis demandé pourquoi je n'avais pas fait de même entre Québec (800 000 habitants) et Montréal (3 millions), Ottawa (1,2 million), Toronto (7 millions), London (350 000) et Windsor (210 000).

En fait, j'avais nommé Jean Pelletier pour mettre ce projet en marche, mais nous n'avons pas eu le temps. Quel dommage, car depuis que j'ai quitté mes fonctions, il y a maintenant plus de 13 ans, rien n'a été fait à cet égard…

Je suis allé à Strasbourg pour assister aux funérailles du chancelier Helmut Kohl. Je n'ai pas regretté d'avoir fait ce long voyage, car j'ai pu rencontrer la chancelière Angela Merkel pour la première fois et revoir et féliciter le président Macron. À l'occasion de l'hommage rendu au chancelier au magnifique parlement de l'Europe à Strasbourg, j'ai eu l'occasion d'échanger avec beaucoup de personnalités que j'avais connues et qui sont ou ont été à la tête de leur pays, telles que Dimitri Medvedev, premier ministre de Russie, Martin Schulz, rival de Merkel à l'élection de septembre 2017, Theresa May, de Grande-Bretagne, les présidents Clinton, Sarkozy et les premiers ministres Berlusconi et Prodi d'Italie, John Major de Grande-Bretagne et José María Aznar d'Espagne.

Que c'était agréable d'entendre les félicitations pour le Canada et Trudeau pour la générosité et l'exemple que nous avons démontré en accueillant les réfugiés. L'ancien président de la Slovaquie Rudolf Schuster, qui a vécu au Canada, m'a simplement dit «le Canada, le meilleur pays du monde», ce qui m'était particulièrement familier. Et Sarkozy de me présenter comme celui qui avait sauvé le Canada moderne; exagéré, sans doute, mais sympathique.

Mais le plus important, c'était de voir tous ces leaders européens rendre hommage à l'homme politique qui a cru plus que tout autre à la construction de l'Europe. Celui qui a rapidement fait la réunification de l'Allemagne, celui qui a effectivement créé l'euro, la monnaie commune, celui qui a établi son pays comme la force dominante de l'Europe, celui d'entre nous qui avait connu les bombardements et qui croyait que l'Europe unie était le rempart nécessaire pour écarter durablement les horreurs de la guerre sur le continent.

En voyant Macron, Merkel et la première ministre May, je me demandais ce qui avait finalement poussé les Britanniques à quitter l'Europe. Une des explications me semble être qu'ils n'ont jamais vraiment décidé d'être Européens et donc d'assumer complètement leur rôle en Europe. Le président Charles de Gaulle n'était pas très enthousiaste à l'idée de voir les Anglais dans la communauté européenne, car il devait craindre leur éventuelle domination de l'Union européenne.

Par contre, les politiciens britanniques avaient peur de perdre leur identité, eux qui venaient à peine de perdre leur suprématie mondiale avec l'effondrement de leur Empire. Au lieu de jouer à plein leur présence dans la future fédération européenne, ils ont toujours plutôt travaillé l'exception britannique, par exemple en gardant la livre et en n'adhérant pas à la nouvelle monnaie de l'Europe, l'euro. Ils cherchaient toujours un statut particulier, et plus ils réussissaient, moins ils étaient Européens. Avec le temps, ils se sont marginalisés ; le trio anglais, français, allemand a été remplacé par le duo franco-allemand. Plutôt que d'être à moitié Européens dans un rôle toujours plus marginal au sein de l'Union européenne, les fiers Anglais ont tout simplement préféré la quitter. À l'hommage que nous rendions au chancelier Kohl, toute l'attention était tournée vers le duo Merkel-Macron, et madame May ne semblait pas exister. Je trouve ça dommage.

C'est pourquoi j'ai toujours cru que le Québec doit jouer pleinement son rôle dans la fédération canadienne, au risque de se marginaliser, comme ce fut le cas pour les Britanniques en Europe. Le premier ministre Lester B. Pearson avait bien compris que pour avoir un Canada efficace, il fallait avoir à Ottawa une représentation très forte du Québec. Dans un premier temps, il avait recruté des disciples de l'un des pionniers de la Révolution tranquille, le père Georges-Henri Lévesque de l'Université Laval. Ainsi, à Maurice Lamontagne et René Tremblay s'était ajouté le sous-ministre de la Justice Guy Favreau. Comme ce n'était pas suffisant, il a invité en 1965 à se joindre à son équipe trois Québécois de grande réputation : Jean Marchand, le principal chef syndical au Québec, l'éditorialiste en chef de *La Presse* Gérard Pelletier et l'intellectuel plutôt controversé Pierre Elliott Trudeau. Devenu premier ministre, Trudeau continua dans la même voie, au point où, pendant toute sa période aux commandes de l'État, les observateurs politiques du Canada anglais ne parlaient pas nécessairement d'une façon amicale du « French Power ».

Quand ce fut mon tour, j'étais déterminé à continuer dans le même sens. Toutefois, ce fut plutôt difficile parce que, au moment de nous préparer pour l'élection de 1993, nous étions au cœur du débat constitutionnel et en particulier dans la foulée de l'échec de l'accord du lac Meech. J'avais tout de même réussi à rallier deux sous-ministres très influents à Ottawa, Marcel Massé et Michel Dupuis. Par contre, c'est à l'intérieur du gouvernement que j'ai eu plus de succès. À un moment donné étaient francophones le gouverneur général Roméo Leblanc, le juge en chef de la Cour suprême Antonio Lamer, le chef des Forces armées Maurice Baril, la greffière du Conseil privé et donc numéro un de la fonction publique fédérale madame Jocelyne Bourgon, notre ambassadeur à Washington était Raymond Chrétien, l'exceptionnel Jean Pelletier, ancien maire de Québec, était mon directeur de cabinet et, évidemment j'étais le premier ministre. Un peu plus tard, sous mon gouvernement, cinq des neuf juges de la Cour suprême étaient francophones quand les excellents juristes Michel Bastarache et madame Louise Arbour, repré-sentant respectivement les Maritimes et l'Ontario, y ont accédé. Et Gilbert Parent était le président de la Chambre des communes.

J'étais très satisfait de ma performance en la matière, mais ce qui me faisait le plus plaisir, c'est que pendant cette période aucun article hostile n'a été publié, contrairement à la période de Trudeau. Ce qui semble évident, c'est que la très grande compétence de chacun et de chacune des personnalités ci-haut mentionnées n'a été mise en doute par personne. En conséquence, les années 1993 à 2004 ont marqué l'apogée de l'utilisation de la langue française au sein du gouvernement fédéral.

J'en tire donc deux conclusions principales : lorsque nous sommes minoritaires, mais que nous prenons notre place à force de travail et avec compétence, aucun obstacle n'est insurmontable ; et quant au discours séparatiste qui faisait des francophones des citoyens bafoués, leur présence massive dans les rôles clés du gouvernement fédéral au tournant du millénaire a clairement indiqué que rien n'est à notre épreuve quand nous nous appliquons.

Pour revenir à ma visite à la frontière franco-germanique, mon vieux compagnon d'armes Bill Clinton m'a invité à revenir avec lui vers New York, lui qui avait prononcé le discours le plus remarqué en hommage à Helmut Kohl. L'idée maîtresse de sa présentation s'appuyait sur le besoin de garder les portes ouvertes sur l'Europe et il insistait sur la nécessité d'affronter ensemble les difficultés auxquelles le monde occidental fait face ; de la véritable musique aux oreilles des Européens présents. C'était aussi un immense contraste après la visite du président Trump, qui les avait laissés surpris et inquiets. Avec ses gros sabots, Trump avait piétiné le tapis européen, professant pour son pays un retour à un certain isolationnisme. Un message qui ne passe pas auprès de pays qui se sont sortis de deux grandes guerres en construisant pour leurs nations un espace commun fait de compromis et de collaboration. Cette construction, l'Europe, aura produit sans interruption depuis la fin de la Grande Guerre, 72 ans de paix et de prospérité, soit la plus longue période de l'histoire du continent.

Par ailleurs, il était très lucide dans l'analyse de la défaite d'Hillary Clinton, reconnaissant que l'intervention de l'ex-directeur du FBI James Comey avait marqué un tournant. Maigre consolation, j'étais néanmoins heureux de pouvoir lui dire que si les Canadiens avaient pu voter comme dix États américains, Hillary aurait facilement gagné l'élection et serait devenue la première femme à diriger la plus importante puissance du monde occidental. Les Canadiens appuyaient en effet dans une proportion d'environ 70 % cette femme exceptionnelle qui est aussi une bonne amie d'Aline et moi.

31

Tout a changé le 23 juillet 1967

AUJOURD'HUI, 15 JUILLET 2017, NOUS SOMMES À QUELQUES jours du 50ᵉ anniversaire du « Vive le Québec libre ! » du président Charles de Gaulle lancé du balcon de l'hôtel de ville de Montréal. Je crois que ce fut le coup d'envoi d'un changement radical dans le débat politique au Québec. À partir du 23 juillet 1967, le débat politique sur la scène provinciale est profondément marqué par la division entre ceux qui veulent faire du Québec un pays indépendant séparé du Canada et ceux qui estiment au contraire qu'un avenir meilleur se dessine pour la province francophone au sein d'un vaste pays au potentiel extraordinaire, le Canada.

À l'époque déjà, Marcel Chaput avait lancé le débat sur la séparation du Québec depuis plus d'une décennie avec un succès plutôt mitigé. Pierre Bourgault avait pris le relais avec son parti, le Rassemblement pour l'indépendance nationale (RIN), lequel a connu plus de succès. Il était un orateur incroyable et les jeunes buvaient ses paroles avec ferveur. Il préconisait une séparation claire et nette avec le Canada sans compromis avec le reste du pays. Avec beaucoup d'honnêteté, il disait : «Ce n'est pas une question de bien-être économique, c'est une question de fierté nationale. Nous aurons notre pays et ensuite nous réglerons les problèmes causés par la séparation un par un.» Il avait le courage de proposer une option claire, mais il y avait aussi de la bravade dans ses positions. Le tout était à la fois excitant et dangereux.

Je crois personnellement qu'il proposait la meilleure recette avec une position claire et sans compromis. Soudainement est apparu dans le débat René Lévesque avec son séparatisme en douceur mis en avant d'après une stratégie étapiste élaborée par Claude Morin et mise en œuvre selon l'atmosphère du moment.

En 1966, à la tête de l'Union nationale, Daniel Johnson, qui préconisait une vision appuyée sur la formule «égalité ou indépendance», avait réussi à défaire Jean Lesage, que l'on croyait pourtant imbattable. René Lévesque, ministre dans son cabinet, compléta alors son virage séparatiste en quittant le Parti libéral pour former ce qui est devenu le Parti québécois. L'Union nationale fut dévastée lorsque soudain Daniel Johnson est décédé en 1968, amorçant ainsi la fin prématurée de son parti, malgré les efforts très louables de ses successeurs, Jean-Jacques Bertrand et mon ami Gabriel Loubier.

Un jour, quand je travaillais comme secrétaire parlementaire du ministre des Finances Mitchell Sharp, j'ai reçu la visite d'un jeune économiste fonctionnaire de notre ministère qui s'appelait Robert Bourassa. Il voulait parler avec moi de politique, m'avait-il dit, mais bientôt il m'apprenait qu'il songeait à faire de la politique et avait été sollicité pour être candidat avec les libéraux de Jean Lesage à l'élection de 1966. Avant de le rencontrer, je savais déjà qu'il était perçu comme un fonctionnaire très intelligent et compétent avec une carrière des plus prometteuses au ministère des Finances. Comme j'adorais ma profession de politicien, je l'avais encouragé à plonger. Il m'avait confié que le premier ministre Jean Lesage lui avait offert la possibilité de choisir entre deux circonscriptions : Saint-Laurent et Mercier. Comme j'avais rapidement compris qu'il avait de grandes ambitions, je lui ai dit que sa vie politique serait plus prometteuse s'il se présentait dans la circonscription tout à fait francophone de Mercier, Saint-Laurent étant alors plutôt anglophone. Il opta pour Mercier, même si elle était plus difficile à gagner. Cet ancien compagnon de travail à Ottawa a été élu député libéral provincial en 1966, amorçant ainsi une carrière tout à fait exceptionnelle. Quatre années plus tard, il succédait à Jean Lesage à la tête du Parti libéral du Québec et remportait quelques mois plus tard l'élection provinciale de 1970, devenant ainsi le plus jeune premier ministre de l'histoire du Québec.

Au cours des 25 années suivantes, nos chemins se sont croisés à maintes reprises avec des moments plutôt agréables et d'autres plutôt désagréables. Par exemple, pendant le référendum de 1980, alors qu'il voulait revenir dans l'actualité politique et par devoir, il voulait participer au débat référendaire, mais Claude Ryan ne souhaitait pas sa présence. Il me fit part de sa déception.

Considérant que monsieur Ryan faisait une erreur, car je savais que les Québécois respectaient Bourassa comme économiste, je l'avais invité à une assemblée du Non à Grand-Mère, dans ma circonscription électorale, sans en informer Ryan. Il attira beaucoup d'attention avec ses propos très professionnels et pertinents. Dans les semaines suivantes, il a parcouru la province avec succès, ce qui lui a par la suite ouvert la porte à un retour en politique en 1983 à la tête du Parti libéral du Québec, puis à la tête du gouvernement à l'élection de 1985.

Néanmoins, malgré les liens tissés au fil du temps, quand vint le débat autour de l'accord du lac Meech, le projet de réforme constitutionnelle de Brian Mulroney où je me suis retrouvé dans l'autre camp avec Pierre Elliott Trudeau, il a oublié le passé et notre amitié s'est brisée.

Le problème entre nous venait du fait que Bourassa était un politicien qui cultivait constamment l'ambiguïté dans ses positions. Il était fédéraliste, mais… La séparation ? « Non, mais… » Pour beaucoup d'entre nous, de tous les côtés de l'équation politique, ça devenait frustrant, à la longue. En tout cas, il sera demeuré insaisissable jusqu'au bout.

Dès mon arrivée à l'Université Laval, je me suis joint au Club libéral de Laval et en suis devenu le président très rapidement. J'ai participé à l'élection provinciale de 1956 et prononcé de nombreux discours pour les candidats de mon parti dans la vallée de la Mauricie. J'étais très actif dans tous les débats du parti et je côtoyais ministres, députés et même à quelques reprises le très respecté Louis St-Laurent, premier ministre du Canada.

À l'élection provinciale de 1956, le premier ministre Maurice Duplessis voulait à tout prix battre notre député René Hamel, qui n'arrêtait pas de l'attaquer à l'Assemblée nationale. Il était assurément le plus efficace de tous les députés de l'opposition et probablement mieux préparé que ses collègues, car c'était un avocat qui avait fait de brillantes études à l'université de Louvain, en Belgique. Après avoir siégé quatre ans comme député fédéral du Bloc populaire entre 1945 et 1949, il avait tout pour mettre Duplessis sur la défensive. Mais au grand dam des libéraux, Duplessis avait réussi à convaincre Gaston Hardy, le très populaire maire de Shawinigan, de quitter les rangs libéraux pour se joindre à lui comme candidat de l'Union nationale. Comme tous les libéraux avaient appuyé Hardy à la mairie, ils considéraient son virage à l'Union nationale comme une véritable trahison et ce fut une élection comme on en voit peu souvent, où deux candidats de très fort calibre s'affrontent avec passion. Ce fut vraiment ma première élection; une élection où j'ai prononcé pas moins d'une vingtaine de discours aux côtés de René Hamel. Quelle occasion fantastique pour un étudiant de 22 ans!

Le pont sur la rivière Saint-Maurice, qui sépare Shawinigan de Shawinigan-Sud, était vraiment en très mauvais état. Les autorités municipales réclamaient un nouveau pont depuis des années, mais la rumeur indiquait que le «chef» ne ferait rien tant et aussi longtemps que René Hamel serait le député du coin. Duplessis était venu lui-même le confirmer dans la circonscription: «Si vous voulez un pont, avait-il dit, il faut voter pour mon parti, pour Gaston Hardy.» Avec la verve et la couleur qu'on lui connaissait, il avait ajouté: «Pas de Gaston, pas de pont.» Ça ne pouvait être plus clair. En réponse, je disais avec beaucoup de conviction dans mes discours: «S'il le faut, nous traverserons à la nage, mais jamais à genoux.» C'est ainsi que j'ai commencé ma carrière de 50 ans de discours en public. René Hamel a été réélu et, lorsque Jean Lesage a formé son gouvernement libéral en 1960, le premier pont que son gouvernement a construit fut celui de Shawinigan.

C'est à cette époque que j'ai fait la connaissance René Lévesque, le célèbre animateur de l'émission *Point de mire* à Radio-Canada. Lorsque Jean Lesage l'a convaincu d'être candidat libéral à l'élection provinciale de 1960, nous, les jeunes libéraux, trouvions que c'était un coup de maître. Par la suite, je l'ai rencontré à plusieurs reprises jusqu'à mon élection comme député fédéral le 8 avril 1963. Mon collègue provincial René Hamel était le ministre de la Justice dans le cabinet Lesage et avait accepté à l'automne 1964 de quitter son siège à l'Assemblée nationale pour devenir juge à la Cour supérieure. Au début de décembre, j'ai reçu un coup de téléphone de René Lévesque qui m'informait que Lesage lui avait confié la responsabilité de l'élection partielle dans Saint-Maurice et qu'il voulait me rencontrer à ce sujet. Il m'a reçu à déjeuner au Château Laurier, sur la Grande Allée à Québec. Comme toute la région de la Mauricie avait seulement un député libéral, il m'a dit qu'il leur fallait gagner à tout prix cette élection partielle dans Saint-Maurice et qu'il croyait que je devais quitter mon siège à Ottawa pour me joindre à « l'équipe du tonnerre » de Jean Lesage. J'ai été surpris et lui ai rappelé que je venais tout juste d'être élu à Ottawa et que tout allait très bien pour moi à la Chambre des communes, que j'étais déjà président d'un comité à 30 ans et que j'avais de l'avenir là où j'étais. Il m'a dit : « Jean, il n'y a pas d'avenir pour toi à Ottawa, car dans cinq ans le fédéral n'existera plus pour nous. Joins-toi à nous immédiatement et tu auras un avenir très intéressant. Cette allusion à un Québec séparé du Canada, alors qu'il était ministre dans le gouvernement de Jean Lesage, m'avait foudroyé.

Je lui avais aussitôt répondu : « Quoi, René, es-tu séparatiste ? En tout cas, moi, je ne le suis pas ! »

Lévesque de répondre : « Bon, oublie ça, et allons rencontrer le premier ministre. » Évidemment, monsieur Lesage était au courant de ma visite et m'avait reçu très chaleureusement. Je l'avais connu alors qu'il était ministre dans le Cabinet fédéral de Louis St-Laurent et revu régulièrement dans les instances du parti. Je me rappelle très bien ce qu'il m'avait dit à la fin de notre conversation en présence de Lévesque. Il m'avait récité une phrase de l'Évangile de la 2e semaine de l'Avent : « Lorsque l'écorce de l'arbre devient tendre, c'est un signe que les temps sont venus. » Nous étions en décembre 1964. Je lui avais demandé de me donner quelque temps pour y penser. Prends ton temps, m'avait-il dit.

À mon retour à Ottawa, mon premier ministre Lester B. Pearson m'avait invité à son bureau après la période des questions. Être convoqué par le PM quand vous êtes jeune député de 30 ans surprend beaucoup. Il m'avait dit que Maurice Sauvé, époux de Jeanne et alors ministre des Forêts, l'avait informé que René Lévesque lui avait dit que j'allais quitter mon siège pour me présenter au provincial et que, pour lui et notre équipe, ce serait une très mauvaise nouvelle. En effet, à ce moment, le gouvernement libéral était dans une mauvaise période, accusé de toutes parts de scandales qui n'ont jamais été prouvés, mais qui plombaient notre popularité, puisqu'ils impliquaient deux ministres du Québec. Après quelques minutes de discussion, il m'a demandé : « Jean, crois-tu au Canada ? Si oui, je crois qu'un jeune homme d'avenir comme toi ne devrait pas partir. » Impressionné d'être ainsi interpellé par un Prix Nobel de la paix et mon premier ministre, je lui ai répondu sur-le-champ que je n'irais pas à Québec. «Jean, m'avait-il dit, c'est une décision trop importante pour toi. Prends une semaine pour y réfléchir. » Alors, je suis immédiatement retourné à Shawinigan pour consultation. Tous étaient convaincus que j'allais être ministre et responsable de la région. Sur 20 personnes consultées, 17 me recommandaient d'aller à Québec et seulement 3 pensaient qu'il valait mieux garder mon siège à Ottawa : l'avocat Marcel Crête, le chef syndical Fernand D. Lavergne et Aline. J'avais retenu l'avis de la minorité et la suite a prouvé que j'ai pris la bonne décision, à la grande satisfaction du premier ministre Pearson.

Quand j'ai annoncé ma décision à René Lévesque, il m'a exprimé sa déception et m'a quand même demandé de l'aider à gagner l'élection partielle dont il était responsable. J'ai accepté avec plaisir. Alors, il m'a aussitôt demandé qui selon moi serait le meilleur candidat pour représenter le parti. Je lui ai répondu que j'allais vérifier et, quelques jours plus tard, je lui ai indiqué que le candidat probable était le docteur Clive Liddle, médecin très apprécié et militant très fervent du Parti libéral. Quand je lui ai dit qu'il était d'origine irlandaise, qu'il parlait avec un accent anglais, mais que 95 % de ses clients étaient francophones, Lévesque m'a répondu qu'il ne pouvait pas y avoir un anglophone comme candidat dans Saint-Maurice et qu'il fallait en trouver un autre. J'avais donc convaincu un ami, le notaire Jean-Guy Trépanier, de se présenter à la convention contre Liddle. J'avais ordonné à ma très forte organisation de travailler pour Trépanier, qui devint ainsi le candidat et fut élu député de Saint-Maurice au provincial. Alors, est arrivé ce qui devait arriver : Liddle et ses amis étaient furieux contre moi, avec raison, et lors de l'élection fédérale suivante, à l'automne 1965, Liddle s'est présenté contre moi pour le NPD. Beaucoup de mes organisateurs, tous francophones, m'avaient quitté pour aller aider le docteur Liddle à me faire une très belle lutte. J'ai tout de même gagné l'élection, mais ce cher docteur Liddle m'avait servi une leçon bien méritée.

Quelques jours plus tard, je me suis rendu à la résidence du docteur, qui m'a reçu avec beaucoup de civilité. Je lui ai dit que j'étais venu m'excuser du mauvais coup que je lui avais fait à l'élection partielle ; que j'avais eu tort de suivre l'inacceptable recommandation de René Lévesque et qu'il méritait toutes mes félicitations pour son geste courageux de me renvoyer la monnaie de ma pièce ; qu'il était un homme avec de l'échine et méritait tout mon respect. Il accepta gracieusement mes excuses et mes respects.

Quand je pense à ce médecin anglophone, travailleur, compétent, dévoué et populaire, venu pratiquer sa profession parmi les francophones de ma circonscription, et à ce que je lui ai fait, je ne suis pas fier de moi. Je me dis comme je lui ai dit chez lui : « Clive, toi, tu es un homme ! »

32

L'été le plus long de ma vie

Le soir du référendum de mai 1980, après avoir participé à un ralliement de célébration à Verdun, Aline et moi sommes rentrés tard à l'hôtel, tout simplement crevés. Le lendemain, je me suis levé avec beaucoup de difficulté pour aller au bureau, où j'ai été convoqué immédiatement par mon premier ministre Pierre E. Trudeau, qui voulait me remercier d'avoir dirigé le camp des libéraux fédéraux avec succès. Il en a profité pour me dire que je devrais partir dès l'après-midi ou le lendemain pour entamer une tournée de consultations avec tous les premiers ministres provinciaux. Oh là là ! Ce n'était pas une petite commande immédiatement après avoir sillonné les routes de toute la province de Québec, jour après jour, allant de ville en ville, de village en village, pendant les 40 jours qu'aura duré la campagne.

Sans le moindre repos, j'ai pris l'avion pour me rendre à Toronto pour rencontrer le premier ministre Bill Davis et quelques ministres ; le lendemain, ce fut Winnipeg, Regina, Edmonton et Victoria. Le deuxième jour, ce fut le retour dans l'est à Halifax. Le troisième jour, ce fut Charlottetown, Saint-Jean de Terre-Neuve et Fredericton, pour parler avec les premiers ministres de la nécessité de remplir la promesse du premier ministre Trudeau de rapatrier la Constitution et de donner une Charte des droits de la personne à tous les citoyens du Canada. À la suite de cette tournée, j'ai entrepris un été de consultations avec les ministres de la Justice ou des Affaires intergouvernementales (parfois les deux) des provinces. Dès la première réunion, j'ai compris que la tâche serait énorme.

La délégation du Québec était composée des ministres Claude Morin, Louise Beaudoin et Claude Charron. Charron était un jeune ministre très sympathique au style direct, venant des milieux populaires de Montréal. Il n'était pas du genre à manigancer, ce qui me mettait très à l'aise. Pendant une pause de la conférence, je lui ai dit que les sondages indiquaient que nos compatriotes québécois favorisaient à plus de 80 % le rapatriement de la Constitution assorti d'une Charte des droits, et je pensais donc que je pourrais conclure une entente raisonnable.

Sans ambages, il m'a répondu : « Écoute, Jean, l'article numéro un de notre programme, c'est de faire la séparation du Québec. On va jouer le jeu de ces consultations, mais nous ne pourrons jamais signer une nouvelle constitution du Canada. » Il ne pouvait être plus clair. Après discussion avec Trudeau, j'ai continué mes consultations en espérant que si toutes les provinces se joignaient à nous, nous pourrions amener le gouvernement péquiste à respecter la volonté populaire. J'ai dit à Trudeau que c'était « *a long shot* », mais que nous serions blâmés si nous n'essayions pas. Ce fut l'été le plus long de ma vie.

Au mois d'août, alors que j'étais au parlement avec mon père, nous avons croisé par hasard monsieur Trudeau dans le foyer de la Chambre des communes. Même s'il avait rencontré souvent le premier ministre Trudeau, pour lui, ancien machiniste dans une usine de papier, se trouver en présence du chef du gouvernement était toujours quelque chose d'exceptionnel. Mais quand Trudeau lui a dit « Monsieur Chrétien, si je n'avais pas votre fils à mes côtés, je ne sais pas ce que je ferais. Il m'a réglé le référendum et, maintenant, il va me régler nos problèmes constitutionnels », pour papa, qui était alors âgé de 92 ans, le compliment était beaucoup plus grand qu'espéré et il ne pouvait l'accepter complètement. Je suis d'ailleurs très fier de ce qu'il lui a répliqué : « Monsieur le premier ministre, si vous et Jean ne pouvez régler le problème constitutionnel, personne ne le pourra. »

De retour à la maison ce soir-là, il avait rajeuni de 20 ans. Nous avons longuement parlé de politique avec Aline et, lorsqu'il est monté se coucher, il était vraiment au 7e ciel. Ce fut notre dernière rencontre. Un mois plus tard, une crise cardiaque l'a foudroyé. Cette rencontre avec mon ami Pierre a probablement marqué le summum de ses souvenirs politiques. Il nous a quittés en homme heureux… lui à qui je dois tant !

33

Une légende qui a la vie dure

Diriger les troupes fédérales durant le référendum de 1980 et par la suite être le ministre responsable du rapatriement de la Constitution et de l'enchâssement de la Charte des droits ont été les tâches les plus difficiles que mon patron Pierre Elliott Trudeau m'aura demandé d'assumer. Le premier ministre fédéral avait convoqué une réunion avec ses homologues des provinces pour s'entendre sur les termes du rapatriement de la Constitution, qui relevait encore du Parlement britannique de Londres. La rencontre a eu lieu les 4 et 5 novembre 1981 au Centre de conférences d'Ottawa. Beaucoup a été écrit à ce sujet et sur mon rôle avec l'aide de mes amis Roy Romanow de la Saskatchewan et Roy McMurtry de l'Ontario, mais je trouve que les historiens et les commentateurs n'ont pas donné tout le crédit qui revient à Bill Davis, le premier ministre ontarien de l'époque, et je trouve ça déplorable. Devant l'impossibilité de convaincre les premiers ministres de s'entendre, Trudeau était prêt à mettre fin immédiatement à la réunion, mais je l'ai supplié de me donner un peu de temps en ajournant plutôt la séance jusqu'au lendemain matin, ce qu'il a finalement accepté de faire.

Je me suis retiré avec Romanow dans la cuisine du Centre de conférences pour lui dire que vu la situation, le premier ministre Trudeau s'apprêtait à suspendre les palabres et à se rendre seul à Londres comme représentant du gouvernement fédéral afin de débloquer l'impasse qui remontait à 1931. Et si jamais le Parlement britannique devait se montrer «rébarbatif» à sa démarche, il était déterminé à prendre les dispositions nécessaires pour proclamer unilatéralement l'indépendance juridique du Canada. J'ai dit à Romanow ce que je croyais possible d'obtenir de Trudeau. Le néodémocrate Roy Romanow m'a dit que, comme il était le seul ministre provincial qui n'était pas du clan conservateur, il faudrait convaincre l'Ontarien Roy McMurtry de se joindre à nous. Tous les trois, nous avons élaboré le fameux «compromis de cuisine». Quand nous nous sommes quittés, vers 18 h 30, j'ai dit aux deux Roy: «Allez vendre ça aux premiers ministres provinciaux; moi, j'ai une tâche beaucoup plus dure, je dois vendre ça à Trudeau.»

Vers 21 h, j'étais chez le premier ministre entouré de cinq ou six ministres, et pendant une heure je n'ai pu le convaincre ni sur la clause de dérogation ni sur la formule d'amendement. La plupart des ministres présents partageaient la frustration du premier ministre et voulaient aller à Londres sans les provinces. Vers 22 h, Trudeau nous a quittés pour prendre un appel téléphonique. Quand il est revenu, il m'a posé quelques questions sur un ton plus conciliant et a ajourné la rencontre. Alors que nous, les ministres, quittions le 24 Sussex, Trudeau m'a retenu par le bras et entraîné dans une autre pièce. À ma grande surprise, il m'a dit : « Si tu peux recueillir l'appui de sept provinces représentant 50 % de la population, je pense que je pourrai accepter ta proposition. Laisse-moi dormir là-dessus. » Nous avons convenu de nous rencontrer pour le petit déjeuner le lendemain matin. De retour à la maison vers 23 h, Aline m'a dit que Garde Gardom m'avait appelé trois fois au cours de l'heure précédente. J'ai rappelé le ministre de Colombie-Britannique, qui m'a demandé si c'était vrai, ce que Romanow et McMurtry leur disaient, et je lui ai dit que oui. Il m'a alors informé que la Colombie-Britannique acceptait le compromis et que la Saskatchewan, l'Ontario et les quatre provinces maritimes étaient également d'accord. « Eh bien, Chrétien, m'a-t-il dit, tu l'as, ta Constitution… »

Même convaincu que nous avions dès lors un projet devenu acceptable aux yeux de Trudeau, je dois admettre que je n'ai pas bien dormi, au grand dam d'Aline. Au petit déjeuner, le premier ministre Trudeau m'a confirmé son accord. Mais celui qui a véritablement brisé l'embâcle, c'est Bill Davis. C'est lui qui avait téléphoné la veille à Trudeau. Il lui avait dit qu'il acceptait le compromis que j'avais orchestré et que si Trudeau ne l'acceptait pas, lui et le premier ministre Hatfield, les deux seuls premiers ministres des provinces à l'appuyer jusqu'à ce moment, allaient quitter le bateau. Davis avait été d'un soutien absolu au projet Trudeau depuis le début de l'aventure. Il représentait à lui seul près de 40 % de la population canadienne et tout ça envers et contre tous les premiers ministres conservateurs, sauf Hatfield, du Nouveau-Brunswick. Sans l'intervention décisive de Bill Davis, je reconnais que je n'aurais pas pu convaincre Pierre Elliott Trudeau. Je tenais à écrire cette histoire, car Bill Davis n'a pas eu la reconnaissance qu'il mérite. « Il faut rendre à César ce qui appartient à César… »

Après le petit déjeuner, alors que monsieur Trudeau et moi repartions en voiture pour la dernière session de la Conférence fédérale-provinciale avec le sentiment d'avoir réussi, d'une façon très amicale, il m'a dit : « Quand je pense que tous ces gens-là croient que tu n'es pas assez instruit… » « Quand je pense, lui répondis-je, que tous ces gens-là pensent que tu es trop instruit… » Ce fut un mémorable moment d'étroite complicité.

Au cours des dernières décennies, j'ai raconté à maintes reprises l'histoire de cette entente, mais une certaine presse aura préféré le soufre des théories de conspiration à la vérité toute nue. Cela aura donné cette fabrication de la nuit dite « des longs couteaux », une fiction qui n'est rien d'autre qu'une légende à la vie dure et une éclatante démonstration d'un mythe qui finit par s'imposer sans égard à la réalité.

34

Mitchell Sharp, mon mentor

QUAND J'Y PENSE, JE RÉALISE AVEC ÉTONNEMENT QUE LORS de ma première élection, si je n'avais pas eu les créditistes de Réal Caouette comme adversaires, je n'aurais probablement pas eu la carrière que j'ai connue.

En effet, après mon élection du 8 avril 1963, pour me rendre à mon travail à Ottawa, je voyageais jusqu'à Montréal avec Jean-Paul Gignac et ensuite je prenais le train pour me rendre à destination. Gignac était un homme d'affaires averti proche de René Lévesque, qui l'avait nommé commissaire d'Hydro-Québec. À partir de 1966, il a cumulé cette fonction avec celle de président-directeur général de la société d'État de sidérurgie Sidbec. Son grand-père avait été maire de Shawinigan, propriétaire d'une entreprise familiale très prospère et politiquement de tradition libérale. Nos deux familles se connaissaient bien et les Gignac comptaient parmi les contributeurs les plus généreux à ma caisse électorale. Au cours d'un de nos voyages du lundi matin, je lui avais confié que les propos de Caouette sur la Banque du Canada m'intriguaient beaucoup. Jean-Paul m'avait donné le conseil suivant : « Comme tu es très jeune, pourquoi ne pas t'intéresser au domaine des finances ? C'est un sujet pour lequel les Canadiens français ne montrent en général pas beaucoup d'intérêt. » Une fois au bureau, je devais répondre à un questionnaire du premier ministre sur notre intérêt à siéger aux différents comités du Parlement. J'ai donc inscrit comme premier choix les finances et je suis aussitôt devenu membre du Comité des banques et de la finance.

Au moment de l'élection d'octobre 1965, j'étais le secrétaire parlementaire du premier ministre Pearson. Immédiatement après l'élection, le premier ministre m'avait annoncé qu'il voulait me faire travailler avec le ministre des Finances Mitchell Sharp, car j'avais été le seul député à choisir « finances » et que, si je continuais à bien travailler, je pourrais un jour devenir le premier Canadien français ministre des Finances du Canada. La prédiction de monsieur Pearson s'est concrétisée en 1977 quand je suis effectivement devenu ministre des Finances.

Alors, si Réal Caouette ne m'avait pas forcé à parler de la masse monétaire, du contrôle des banques et de la Banque du Canada durant la campagne électorale de 1963, ma vie aurait pu prendre une tout autre tournure.

Mitchell Sharp était alors député de Toronto et ministre des Finances. Il devint mon mentor. À l'âge de 28 ans, alors qu'il était économiste au service des grands du blé à Winnipeg, il a quitté son emploi pour devenir bénévole au salaire symbolique de 1 $ par année afin de contribuer à l'effort de guerre. Il mettait ainsi les pieds dans l'appareil du gouvernement fédéral.

Après la guerre, Mitchell Sharp est devenu fonctionnaire au ministère du Commerce et a grimpé les échelons jusqu'au poste sous-ministre du tout-puissant C. D. Howe. En 1958, à la suite d'un conflit avec le premier ministre Diefenbaker, il a quitté le service public pour devenir un homme d'affaires à succès. Lorsque Lester B. Pearson est devenu le chef du Parti libéral, il a demandé à Sharp d'organiser la fameuse conférence de Kingston pour lancer le parti dans la voie progressiste qui fut la marque de commerce des libéraux pour les décennies à venir. À l'élection de 1962, il a choisi de se présenter contre le tout-puissant ministre des Finances Donald Fleming et perdu de peu l'élection. Neuf mois plus tard, il a finalement été élu à la place de Fleming. Pour moi, hériter d'un professeur de la trempe de Mitchell Sharp fut beaucoup plus instructif que quelques années de plus même dans la meilleure université. Je participais à toutes ses réunions avec les hauts fonctionnaires du ministère des Finances et de la Banque du Canada. Tous les lundis, mardis et jeudis soir, nous devions être sur la colline du Parlement, prêts à aller voter, car nous avions un gouvernement minoritaire pour lequel le moindre vote comptait. J'étais comme un meuble dans son bureau et nous passions des heures tous les soirs à discuter des problèmes de la journée, des méandres de l'administration publique et de la politique. Si Bill Clinton a pu écrire «je ne connais personne qui en sache plus long que Chrétien sur l'art de gouverner», c'est parce que j'ai eu comme professeur privé et mentor mon grand ami Mitchell Sharp, à qui je ne rendrai jamais assez hommage pour son immense contribution à la vie publique de notre pays.

En 1968, à la suite de la démission de l'excellent Mike Pearson comme chef du Parti libéral, Mitchell Sharp s'est porté candidat pour le remplacer et, comme il se doit, j'ai décidé de l'appuyer. Lorsque le ministre de la Justice Pierre Elliott Trudeau a lancé son chapeau dans l'arène, son ami Jean Marchand, ministre responsable du Québec, m'a indiqué que tous les ministres du Québec devaient appuyer Trudeau. Je lui ai rétorqué que j'avais promis mon soutien à Sharp et que je n'allais donc pas lui obéir. Il m'avait répondu que je risquais de perdre mon siège au Cabinet si Trudeau était élu. Je lui ai aussitôt répliqué que je perdrais mon siège parce que j'étais un homme de parole: «Eh bien, nommez à ma place quelqu'un qui ne tient pas parole, je ne suis pas sûr que vous allez y gagner au change.» Finalement, Trudeau est venu me voir lui-même à mon bureau pour solliciter mon appui. Je lui ai dit que je croyais qu'il ferait un très bon premier ministre. Cela étant dit, j'avais observé que son entrée et celle de Robert Winters dans la course érodaient les appuis de Mitchell. Alors, je lui ai dit que si mon candidat ne passait pas la rampe, il serait mon deuxième choix.

Le lundi de la semaine du congrès à la direction du PLC, Mitchell, en homme méticuleux qu'il était, avait fait vérifier par une agence neutre la solidité des votes sur lesquels nous pouvions compter et le résultat n'était pas à la hauteur. Il est donc allé annoncer son intention de quitter la course à son vieil ami Lester Pearson. Lorsqu'il est revenu, il m'a demandé de contacter Pierre Trudeau. J'ai réussi à le joindre chez sa mère à Montréal et j'ai aussitôt organisé une rencontre entre eux à Ottawa.

Comme j'étais le coprésident de la campagne de Sharp avec le chef du Parti libéral de l'Ontario Bob Nixon, j'ai été chargé du transfert de notre organisation vers celle de Trudeau. Ministres, députés, et délégués appuyant Sharp sont presque tous devenus des partisans de Trudeau. L'impact fut salutaire pour sa campagne avec l'arrivée de noms importants comme Sharp, Jean-Luc Pepin, Bud Drury, George McIlwraith et Bob Nixon. À trois jours du scrutin, c'était le coup de pouce parfait. Durant tout le congrès de direction, à chaque réunion publique, on demandait à Sharp de s'asseoir à la droite de Trudeau.

Alors qu'un grand nombre de libéraux se demandaient s'il était possible de choisir comme chef du parti et premier ministre ce radical frondeur et rebelle qu'était Trudeau, l'arrivée du rassurant Mitchell Sharp leur disait que oui, c'était possible.

Tous croyaient que Sharp avait eu l'approbation de Pearson, et les ministres qui l'accompagnaient, comptant parmi les poids lourds du parti, donnaient le même son de cloche. Trudeau a gagné la course au 4e tour contre Bob Winters. Sans l'arrivée de Sharp au bon moment, aurait-il gagné ?

Quant à moi, Trudeau ne me reprocha jamais d'avoir honoré la parole donnée. Au contraire, en avril 1968, j'ai entrepris un merveilleux voyage de près de quinze ans dans le cabinet de Pierre Elliott Trudeau.

Durant ma longue carrière de ministre, chef de l'opposition ou premier ministre, lorsque j'avais des problèmes difficiles, j'allais rendre visite à Mitchell Sharp dans sa maison pour recueillir son avis et parfois me remonter le moral. Sa deuxième épouse, la très dévouée Jeannette Dugal, me recevait toujours avec beaucoup de gentillesse. Après parfois plus d'une heure de discussion, il se mettait au piano et me jouait du Chopin, du Liszt, du Mozart et autres grands classiques. Je tournais ses pages de musique et, à la fin, je rentrais chez moi prêt à reprendre le fardeau parfois lourd à porter.

Quand je suis devenu son secrétaire parlementaire en 1965, dès la première journée, il m'avait invité à participer à une réunion où étaient présents le sous-ministre des Finances, le gouverneur de la Banque du Canada et quelques autres hauts fonctionnaires. Il fut question d'impôts, de déficit, d'emprunt sur le marché, des taux d'intérêt, et le tout s'était évidemment déroulé en anglais. À la fin de la réunion, Mitchell me dit : « Jean, n'oublie pas que tout ce que tu as entendu ici est très confidentiel et qu'il ne faut en parler à personne. » Je lui ai dit : « Ne t'inquiète pas, Mitchell, je n'ai en fait rien compris ! » C'était tout un début !

Lorsqu'il est devenu candidat à la direction du parti, mon collègue de la circonscription voisine, le député de Champlain Jean-Paul Matte, l'a invité dans notre région, où il s'est adressé au maire avec un texte préparé en français. Il s'en est très bien tiré. Même chose avec le curé et des citoyens au presbytère, mais lorsque nous sommes arrivés à la célébration plutôt bruyante des Chevaliers de Colomb à la cabane à sucre, ce fut plus compliqué. On n'avait pas prévu de discours pour le ministre des Finances, mais lorsque les fêtards se mirent à crier « On veut Sharp, on veut Sharp ! », Mitchell, n'ayant pas de texte, ne voulait pas improviser. Alors, pour le détendre, j'ai demandé à Jean-Paul Matte de lui servir le fameux cocktail spécial fait d'alcool maison illégal et d'eau d'érable, appelé «réduit». Mitchell en avait bu une bonne quantité sous les applaudissements de la foule. Peu après, mon Mitchell était debout sur la table et improvisait son premier discours dans la langue de Molière.

Lorsqu'il a pris sa retraite en 1978, ses amis et partisans lui ont organisé une très belle soirée de remerciements au cours de laquelle ils lui ont offert un orgue électrique en souvenir pour son chalet. Le lendemain matin, à la réunion du Cabinet, le premier ministre a demandé au ministre de la Défense, Barney Danson, de faire rapport de la soirée hommage à Mitchell. Danson, qui pouvait être très drôle, termina ses commentaires en indiquant que le tout avait été un grand succès et que Mitchell était «un homme très heureux, à la retraite avec une nouvelle femme et un "new organ"». Tout le monde avait pouffé de rire…

35

De mémorables vacances à Mexico

C'ÉTAIT UNE AUTRE DE CES SOIRÉES OFFICIELLES À RIDEAU Hall, la résidence officielle de la gouverneure générale, Adrienne Clarkson à l'époque, une réfugiée de Hong Kong, ancienne journaliste du réseau anglais de Radio-Canada très érudite et sophistiquée, que j'avais nommée à ce poste ; une de mes meilleures nominations à titre de premier ministre.

L'invité de la gouverneure générale était un chef d'État étranger, et lorsque j'ai été invité à dire quelques mots, en voulant faire un peu d'humour, j'ai dit que le Canada était de facto mené par trois femmes : la gouverneure générale, Adrienne Clarkson, la juge en chef de la Cour suprême, Beverley McLachlin, qui était présente, et ma femme, Aline. Évidemment, tout le monde a souri. Par la suite, la juge McLachlin, première femme juge en chef de la Cour suprême, une autre

des nominations dont je suis particulièrement fier, a régulièrement utilisé cette boutade dans ses discours publics.

En fait, là où j'étais le plus sérieux dans cette remarque,
c'est quand je parlais d'Aline, car j'ai toujours dit à qui voulait
l'entendre que je n'aurais jamais fait la carrière que l'on sait
sans celle que j'ai toujours appelée mon « roc de Gibraltar » à
mes côtés.

Mais ce qui est peu connu, c'est qu'Aline est entrée dans ma
vie grâce à une autre femme qui a aussi exercé une importante
influence dans ma vie. En effet, ma mère, Marie, n'a ménagé
aucun effort pour qu'Aline devienne la femme de ma vie.

Alors que j'avais 18 ans et que je travaillais durant les
vacances à la papetière « Belgo », mon frère Michel m'a téléphoné de la base militaire de Valcartier, où il passait l'été
comme cadet de l'armée canadienne. Il m'a dit qu'il avait invité
dix de ses copains à venir passer la soirée du samedi soir à
Shawinigan et m'ordonnait de trouver onze jeunes filles pour
les accompagner à la salle de danse « La Plage idéale » du
Lac-à-la-Tortue. Je lui avais répondu que c'était une tâche
impossible pour moi qui souffrais d'une timidité maladive
avec l'autre sexe. Peu importe, dans les jours suivants, je me
suis attelé à la tâche avec ma ténacité habituelle et, à ma grande
surprise, j'ai réussi à remplir l'improbable mandat de ce sacré
Michel !

Alors que je sollicitais toutes les jeunes filles que je connaissais et même celles que je ne connaissais pas, j'ai aperçu dans
l'autobus cette très jolie fille, Aline, et je lui ai donc demandé
si elle accepterait d'accompagner un jeune cadet à la danse du
samedi soir à La Plage idéale. Elle m'avait répondu qu'elle
irait peut-être, mais pas avec un étranger, seulement avec moi,

si sa mère lui en donnait la permission. Elle avait alors à peine 16 ans. Le lendemain, toute penaude, elle est venue me voir pour me dire que sa mère lui avait refusé la permission. Devant son désarroi, je lui ai dit que ce n'était pas grave et que j'aimerais aller avec elle au cinéma, le lendemain soir. Elle accepta sur-le-champ, pour mon plus grand plaisir. C'était la première fois que j'allais au cinéma avec une jeune fille et le tout est arrivé il y a 66 ans ce mois-ci, soit la deuxième semaine du mois d'août 1952. Ce fut le début de cette belle histoire d'amour qui dure encore.

Quand je l'ai rencontrée, j'étais un homme hyperactif et très indiscipliné qui causait des problèmes à tout le monde, ce qui préoccupait beaucoup ma mère. Avec Aline comme petite amie, je suis soudainement devenu plus sage, à la grande joie de maman, qui a alors décidé que je devais à tout prix tomber amoureux de la douce Aline. Quand septembre est arrivé avec le retour obligé en pension à Trois-Rivières, maman venait parfois me rendre visite au collège pour me permettre de sortir du périmètre clôturé du pensionnat. Elle a aussi commencé à inviter Aline à l'accompagner dans son voyage en autobus. Elle venait au collège pour me faire sortir pendant quelques heures le dimanche après-midi, le seul moment de la semaine où cela était permis. Aussitôt sorti du collège, je rencontrais Aline et maman nous quittait pour aller passer quelques heures avec des cousins qui vivaient à Trois-Rivières. Ces quelques heures, Aline et moi les passions, comme le chantait Georges Brassens, à « se bécoter sur les bancs publics, bancs publics, bancs publics, en se foutant pas mal du regard oblique des passants honnêtes ».

À cinq heures, Aline me quittait pour reprendre l'autobus et rentrer avec maman à Shawinigan. Tous mes camarades de pension trouvaient maman très avant-gardiste et m'enviaient.

Le stratagème de ma mère a fonctionné à merveille et je suis tombé profondément amoureux d'Aline, ce qui a radicalement changé mon comportement. Je suis devenu beaucoup plus discipliné et j'ai recommencé à avoir de très bonnes notes en classe. C'est ce que ça prenait pour ne pas rater mon congé du mois, durant lequel je pouvais me rendre une journée à Shawinigan et voir Aline. Je suis presque devenu sage comme une image, suivant l'expression populaire.

Le 10 septembre 1957, alors que j'étais en 2ᵉ année à la Faculté de droit à l'Université Laval, nous nous sommes mariés et nous avons passé deux années merveilleuses, moi étudiant, elle secrétaire, pauvres et heureux dans la superbe ville de Québec. Maman avait eu l'œil juste : celui qu'elle craignait de voir devenir le mouton noir de la famille est en fait devenu l'avocat sérieux et ambitieux dont elle rêvait, et tout ça grâce à Aline.

Pendant le reste de ma vie, à chaque tournant, Aline était là pour m'aider, me conseiller, me ramener à l'ordre, me pousser toujours au bon moment.

Voici d'ailleurs quelques anecdotes qui l'illustrent bien. Par exemple, quand j'ai pris la décision que j'estime la plus importante de ma vie après ma demande en mariage : celle de demeurer député fédéral en résistant aux avances de Jean Lesage et René Lévesque pour passer au provincial. Aline a été l'une des trois personnes qui m'ont conseillé de rester avec Lester B. Pearson.

En avril 1968, alors que j'étais le ministre du Revenu national, Aline et moi avons pris des vacances d'une semaine à Zihuatanejo, au Mexique, et lorsque nous sommes arrivés à notre chambre, nous avons réalisé que Jacques Parizeau et son épouse, Alice, étaient nos voisins. Il faut dire que tout s'est très bien passé. Nous prenions nos repas ensemble, nous allions à la pêche ou nous faisions des promenades sur la plage. L'épouse de Jacques, Alice Parizeau, d'origine polonaise, était une personne exceptionnelle. Jacques était très courtois et, ce qui ne manquait pas d'étonner, le soir pour le dîner, il revêtait son veston très «british» à la Rudyard Kipling, même si nous étions sur la plage.

Comme Trudeau était devenu chef du Parti libéral et avant de devenir premier ministre, moi, encore ministre du Revenu et Jacques Parizeau, consultant économique des gouvernements fédéral et provincial, les sujets de discussion ne manquaient pas. À quelques reprises, «monsieur» me disait qu'il m'était peut-être difficile de comprendre, car moi, je n'avais pas eu le privilège comme lui d'étudier à la London School of Economics, ce qui ne démontrait chez lui aucun grave problème d'humilité. Je souriais et ça allait, en général... Mais la veille de notre départ au déjeuner, à un moment où je crois mes arguments portaient particulièrement, en rebuffade, il m'avait servi d'une façon pas très gentille l'argument de la London School. Son épouse, croyant qu'il était allé un peu loin, a dit: «Lorsque j'ai rencontré Jacques, il était très beau garçon, mais extrêmement fendant.» Jacques, réalisant ce qu'il venait de faire et voulant s'excuser, a ajouté: «Je suis moins beau garçon, mais je suis encore fendant.» Aline, en femme plutôt timide et normalement réservée, n'a malgré tout pu se retenir: «C'est justement ce que j'allais vous dire, monsieur!»

Oh là là, quel choc! Jacques s'est excusé pour aller travailler, disait-il. Lorsque nous sommes revenus à la chambre, Aline était tout embarrassée de son intervention. Je l'ai rassurée en lui disant: «Je ne t'ai jamais aimée plus qu'à ce moment-là!» On dit, nous, gens de la campagne, «un trou, une juille (cheville)».

Malgré cet incident, eux et nous, nous avons gardé un bon souvenir de ce séjour sur le Pacifique mexicain. D'ailleurs, par la suite, Alice, en grande dame qu'elle était, lorsqu'elle venait à Ottawa, le faisait savoir à Aline.

En 1976, Parizeau est devenu le ministre des Finances du Québec et, l'année suivante, je suis devenu à mon tour le ministre des Finances du gouvernement de Pierre Elliott Trudeau, et ce, même si je n'avais pas fréquenté la London School of Economics comme Trudeau et Parizeau l'avaient fait. Tout allait très bien entre nous, malgré nos grandes différences d'opinions politiques. Le tout a pris une tournure plus difficile lorsque j'ai décidé de faire un budget en collaboration avec mes collègues provinciaux, quelque chose de tout à fait inusité. Lors d'un souper dans un hôtel de Montréal avec Darcy McKeough, trésorier de l'Ontario, Jacques Parizeau et moi, nous avions convenu, pour stimuler l'économie, qu'il serait bon de réduire la taxe de vente provinciale de 3%, et comme le fédéral n'avait pas de taxe de vente, il en paierait les deux tiers. J'ai ensuite obtenu l'accord des neuf autres provinces. Ainsi, quelle ne fut pas ma surprise de recevoir un coup de téléphone de Parizeau pour me dire que notre accord ne tenait plus, car il avait été désavoué par René Lévesque et son cabinet. Il m'a dit: «Nous allons prendre l'argent et en disposer comme nous l'entendons.» Je lui ai répondu que j'avais pris des engagements envers les autres provinces et que si le Québec ne faisait pas comme les autres, le fédéral n'enverrait pas l'argent. Je lui ai dit que s'il ne pouvait pas respecter sa parole, de mon côté, je respecterais la mienne auprès des neuf autres provinces. Alors, le feu d'artifice a commencé. J'ai décidé d'envoyer 85 $ à chaque contribuable du Québec et rien au gouvernement du Québec. Les jours suivants ont probablement été les plus durs de ma carrière politique. À un point tel qu'un mercredi matin, lorsqu'Aline est venue me réveiller, je lui ai dit que je ne me levais pas, que j'avais perdu mon pari et que ma carrière était terminée. J'étais vraiment découragé. Quelques minutes plus tard, elle est revenue dans la chambre et, pour la première et dernière fois de notre vie de couple, m'a apporté mon petit déjeuner au lit en me disant: « Tu vas continuer à te battre. »

Elle m'a sorti de ma torpeur et je suis retourné au parlement. Le budget établi en collaboration avec les provinces fut un succès dans neuf provinces, le Québec faisant bande à part. Le chèque de 85 $ à chaque contribuable avait été accueilli avec plaisir dans la plupart des familles québécoises et la maison Gallup a mesuré une montée de 3 % de l'appui au Parti libéral. Si j'avais démissionné cette journée de petit déjeuner au lit, ma carrière se serait terminée sur une fin abrupte de mes fonctions de ministre des Finances et de ma carrière politique après quinze ans de vie publique. Je ne serais jamais devenu premier ministre. Ainsi, quand je dis aux dirigeants étrangers que le Canada était dirigé par trois femmes, pour moi, et peut-être même pour le pays, la plus importante était la troisième, la seule qui m'ait jamais servi le petit déjeuner au lit, mon « roc de Gibraltar », Aline...

36

Pierre Elliott Trudeau et moi

Ce soir, je prends la plume pour écrire une chronique sur les 19 années que j'ai passées au Parlement canadien avec un certain Pierre Elliott Trudeau. Je crois que ce texte sera plus long que les autres.

Nous sommes durant l'élection de l'automne 1965, et le premier ministre L. B. Pearson m'invite à l'accompagner dans sa circonscription d'Algoma-Est à l'ouverture de la campagne auprès de ses électeurs. Comme j'étais son secrétaire parlementaire et francophone, je devais faire des discours plutôt en français pour les très nombreux francophones qui demeuraient dans sa circonscription électorale. Les conservateurs lui opposaient une vedette de la télévision et de la radio, Joel Aldred. Tout ce que je connaissais de lui, c'est qu'il était très connu dans la province et possédait une Rolls-Royce. Au grand plaisir de monsieur Pearson, je l'appelais Rolls-Royce Aldred.

Le deuxième soir de la tournée, nous sommes demeurés à Espanola au lieu de revenir à Ottawa, car mon PM aimait beaucoup les sports et préférait voir un match de football plutôt que d'être dans un avion. Pendant que nous regardions la joute, il m'a dit qu'il avait réussi à convaincre Jean Marchand, grand chef des syndicats au Québec, Gérard Pelletier, éditorialiste en chef de *La Presse*, et l'intellectuel Pierre Elliott Trudeau de se joindre à notre équipe. Il ajouta gentiment que l'opération pourrait retarder mon entrée au Cabinet. Je lui avais répondu que s'il avait des députés plus compétents que moi, il allait de soi de les nommer d'abord. Marchand et Pelletier étaient à mon sens de grandes acquisitions, mais Trudeau me paraissait plus problématique. «Les libéraux, lui avais-je dit, ne l'aiment pas du tout à cause de ses attaques répétées au sujet des missiles Bomarc en 1963, et avec son style très cassant vous allez avoir de la misère à lui trouver une circonscription.» Et c'est précisément ce qui s'est passé. Le docteur Noël, député d'Outremont, a refusé net de lui céder son siège ; mon ami Jean-Paul Matte était prêt à lui céder la circonscription de Champlain, mais l'association de circonscription a carrément refusé. Alors, monsieur Pearson, qui avait nommé le président de la Chambre Alan Mcnaughton au Sénat, lui a offert la circonscription de Mont-Royal, où Pierre Trudeau a dû travailler très fort pour remporter l'investiture contre un jeune libéral, le docteur Stuart Smith, qui est plus tard devenu le chef du Parti libéral de l'Ontario.

Le 8 novembre 1965, les trois colombes, Jean Marchand, Gérard Pelletier et Pierre Elliott Trudeau, ont été élues à la Chambre des communes et la presse a aussitôt commencé à alimenter la rumeur selon laquelle Marchand remplacerait Guy Favreau comme ministre responsable du Québec. De fait, Marchand s'est imposé rapidement et, quelques semaines après l'élection, il m'a demandé de trouver un candidat de la «nouvelle garde» pour remplacer le président du caucus québécois, perçu comme étant de la «vieille garde». Le jour du vote pour la présidence du caucus du Québec, il y a eu égalité, et le président sortant a tranché en faveur du candidat de la vieille garde. Quand Marchand et moi avons réalisé que Pierre Trudeau n'avait pas voté, nous étions furieux. Alors, je suis allé voir Trudeau pour lui dire que son abstention avait permis de faire gagner la «vieille garde» et que Marchand et moi avions l'air un peu fous à la suite de cette défaite. Il m'a répondu: «Même si toi et Marchand vouliez avoir Laniel, moi, je ne connaissais ni l'un ni l'autre des candidats, alors je n'ai pas voté.» Je lui ai répliqué qu'il avait intérêt à apprendre le métier vite, car il n'irait pas bien loin comme ça. Or, force est de constater qu'il a appris plutôt vite…

Quelques mois plus tard, alors qu'il était le secrétaire parlementaire du premier ministre et que j'étais celui du ministre des Finances, nous accompagnions Mitchell Sharp à une conférence fédérale-provinciale des ministres des Finances. À la fin de la conférence, le ministre des Finances Sharp s'est assis à une table pour répondre aux questions des journalistes. Alors, à ma grande surprise, Trudeau m'a dit: «Viens, Jean, nous allons nous placer juste derrière Sharp et les journalistes vont réaliser que nous avons participé à la conférence.» Je lui avais dit à la blague que, décidément, il apprenait vite, vraiment vite…

Après avoir passé plus de six ans au ministère des Affaires indiennes et du Nord canadien et y avoir fait un apprentissage qui m'a énormément servi tout au long de ma carrière, j'ai été utilisé par Trudeau, généralement à l'occasion de difficultés inattendues, comme président du Conseil du Trésor, ministre de l'Industrie et du Commerce, ministre des Finances, ministre de la Justice et ministre des Mines et des Ressources. Chaque fois, j'étais apparemment difficile à convaincre de changer de portefeuille, sauf lorsqu'il m'a demandé de prendre la place de Donald McDonald, qui a soudainement quitté le ministère des Finances. Monsieur Pearson m'avait déjà dit que si je travaillais bien et fort, je pourrais devenir le premier francophone ministre des Finances. J'ai donc accepté l'offre de Trudeau avec enthousiasme, malgré le fait que le tout était accompagné d'un bémol. Trudeau m'avait en effet dit qu'il y mettait une condition : si l'on avait besoin de moi pour remplacer Robert Bourassa (qui avait été défait l'année précédente par René Lévesque), je ne refuserais pas parce que j'étais ministre des Finances du Canada. C'est finalement Claude Ryan qui est devenu le chef des libéraux provinciaux et je suis donc demeuré en poste à Ottawa, à mon grand soulagement.

Plus tard, à la suite de sa victoire électorale du printemps de 1979, le premier ministre conservateur Joe Clark a décidé de remettre à l'automne son premier discours du Trône et son premier budget n'a été présenté qu'à la mi-novembre alors que Pierre Trudeau avait déjà annoncé sa démission comme chef du Parti libéral. Le résultat stupéfiant du vote sur le budget Crosby a provoqué la chute du gouvernement conservateur encore tout nouveau et entraîné une dynamique politique complètement inusitée. Trudeau avait une décision difficile à prendre, car une élection surprise était maintenant en vue alors que son parti, pris au dépourvu, se retrouvait de fait sans chef.

Dans les heures précédant le vote historique, mon ami Allan MacEachen a rencontré Trudeau à quelques reprises et m'a demandé de m'assurer de la présence de tous les députés pour la décision fatidique. J'avais informé Trudeau et Allan que les créditistes n'allaient pas voter avec les conservateurs, signant ainsi l'inéluctable défaite en Chambre du gouvernement conservateur. MacEachen avait dit à Trudeau que s'il ne recevait pas d'instruction contraire avant 17 h, nous allions défaire le gouvernement. Entre 16 h et 17 h, j'étais seul avec Allan dans son bureau ; nous étions tous deux très nerveux en attendant la décision de notre ami Pierre. Le téléphone est resté silencieux et l'histoire du Canada a changé son cours de façon importante. Le chef conservateur Joe Clark a perdu l'élection provoquée par son échec sur le budget Crosby et Trudeau est redevenu le premier ministre. Entre-temps, René Lévesque, qui avait déjà annoncé la date de son référendum autour du concept plutôt flou de « souveraineté-association », s'est retrouvé en face de Trudeau plutôt que Joe Clark au référendum du 20 mai 1980. Parfois, le silence est plus important que la parole…

Trudeau aimait le silence. Pendant la moitié des années où il a été premier ministre, j'étais son voisin à la Chambre des communes. Il n'aimait pas « placoter ». Parler pour parler n'était pas son fort et, quand je suis devenu premier ministre, il m'a donné un conseil salutaire. Il m'a dit de réserver la résidence secondaire du premier ministre dans les montagnes de la Gatineau pour le repos, le silence et la réflexion. Quel bon conseil ! Pendant la décennie où j'ai été premier ministre, la résidence du lac Mousseau, mieux connu sous le nom de lac « Harrington », a été mon havre de paix. Pour réussir dans les lourdes tâches de la gouvernance d'un pays, le temps consacré à la réflexion est essentiel. Des heures à marcher dans les bois ou à se promener en canot sur le lac seul sont souvent des heures mieux investies que celles passées dans bien des «briefings» ou dans l'agitation frénétique sur Twitter, comme on le voit de nos jours.

Parler de Pierre Elliott Trudeau, qui a été mon collègue à la Chambre des communes pendant 19 ans et mon chef politique et premier ministre pendant 16 ans, nécessiterait un livre en soi. J'ai eu l'occasion de le connaître assez bien pendant plus de huit ans où j'ai siégé à côté de lui à la Chambre des communes et au Cabinet. On a écrit bien des choses sur sa personnalité, mais ce que je connais de lui demeure gravé dans mon esprit. Il était sérieux, érudit, intolérant vis-à-vis des frivolités, mais patient et généreux avec ses ministres et pour moi. Je n'ai jamais bien compris pourquoi il me faisait aussi confiance. Il était capable de déléguer des responsabilités, mais n'endurait pas facilement l'incompétence ou la paresse. Peut-être pourrais-je ainsi résumer sa façon de gérer ses subalternes : un jour, quand j'étais ministre des Affaires indiennes et du Nord canadien, j'ai reçu un coup de téléphone surprenant de sa part : «Jean, es-tu en colère contre moi? Car je réalise que tu ne m'as pas parlé depuis un an.» «Eh bien, non, absolument pas, mais pourquoi me posez-vous cette question? Je ne vous appelle pas parce que je ne veux pas vous déranger et je suis content que vous ne soyez pas obligé de m'appeler...» «Je t'appelle pour te remercier d'être comme tu es. Si mes ministres étaient tous comme toi, ce serait facile d'être premier ministre.»

Pendant 16 ans, Pierre Elliott Trudeau a été mon seul patron. Il m'a confié des tâches énormes, et parfois les difficultés semblaient insurmontables. Il n'a jamais élevé la voix. Lorsque j'ai été impliqué dans des controverses politiques énormes, nous en avons discuté calmement et rationnellement. Sans sa compréhension, sa sagesse, ses connaissances et surtout son indéfectible appui, jamais je n'aurais réalisé l'exceptionnel parcours qui fut le mien. Que puis-je dire de plus?

37

Une journée inoubliable avec les Clinton

INVITÉ PAR LA FAMILLE DU CHANCELIER ALLEMAND HELMUT Kohl, et à la demande du gouvernement canadien, je me suis rendu aux funérailles de l'ancien chancelier le 1ᵉʳ juillet 2017. Bill Clinton y était aussi et, comme il voyageait en avion privé, le soir après les cérémonies, je suis revenu « sur le pouce » de l'Allemagne jusqu'à New York avec le célèbre ancien président des États-Unis. Nous avons alors passé huit heures ensemble tous les deux, et je dois vous dire que je ne me suis pas ennuyé un instant avec ce personnage très érudit et tout simplement fascinant à écouter. Il m'a dit qu'il allait prendre des vacances avec sa femme, Hillary, leur fille, Chelsea, son gendre et ses deux petits-enfants au Québec à North Hatley et qu'il serait heureux de jouer au golf avec moi. C'est ainsi que le samedi 19 août 2017, j'ai passé une journée à la fois ordinaire et tout à fait exceptionnelle. J'aime beaucoup jouer au golf avec des amis, car passer quelques heures sur un terrain de golf, sans téléphone, dans la nature avec des gens agréables, c'est toujours désirable. Il est plutôt rare de jouer au golf avec des gens que l'on n'aime pas, car on ne veut pas gaspiller une journée de nature dans un environnement paradisiaque en piètre compagnie.

Par contre, avec un compagnon de jeu comme Bill Clinton, la journée devient carrément mémorable. J'étais debout à 6 h et à 7 h je roulais sur l'autoroute 55 en direction de Sherbrooke. Je suis arrivé à 9 h 30 au club de golf, soit l'heure prévue. On m'a informé que Clinton serait en retard et j'ai dit que nous commencerions le match probablement vers 11 h, car je connaissais ses habitudes, et c'est exactement ce qui est arrivé. Lors de la pause pour le lunch, nous avons eu droit à la plus intéressante leçon d'histoire de la part d'un illustre citoyen né dans le Sud, qui fut gouverneur de l'État de l'Arkansas et dont certains prédécesseurs avaient été ouvertement racistes. Nous en avons appris aussi sur d'anciens présidents des États-Unis venus comme lui du Sud et qui ont été propriétaires d'esclaves, comme Washington et Jefferson. Ce fut un déjeuner fascinant. Quelle belle journée !

Les Clinton avaient été invités par Louise Penny, une écrivaine originaire du Québec et très populaire aux États-Unis. L'environnement de ses romans se situe dans les Cantons de l'Est, et très souvent ses personnages sont des Canadiens français, en particulier le détective Gamache. Les Clinton sont des « fans » de ses livres et ont donc accepté de venir passer une semaine dans cette atmosphère. Dans un de ses romans, l'intrigue tourne autour d'un meurtre commis dans un monastère. Louise Penny les a invités à visiter le monastère de Saint-Benoît-du-Lac, sur le lac Memphrémagog. Hillary et Bill ont été fascinés par leur visite dans l'ambiance de prière, de méditation, de silence et de paix de ces lieux magnifiques. Il faut néanmoins dire que le prieur de la communauté a insisté pour leur dire que le meurtre dans le monastère n'était pas arrivé chez eux.

À la fin de la journée, avec les membres de la famille Clinton et une quinzaine de leurs amis venus pour la plupart des États-Unis, nous avons eu une réception au célèbre et très agréable Manoir Hovey à North Hatley. Le gouverneur de l'État de Virginie, Terry McAuliffe, s'était joint à nous, encore absorbé par la crise de Charlottesville qui nous a dévoilé le vrai visage de Donald Trump. En entendant Bill Clinton, le gouverneur de la Virginie et les autres Américains présents exprimer leur inquiétude, leur désarroi, leur incompréhension, je mesurais ma chance de vivre au Canada et reconnaissais l'importance pour nous de demeurer vigilants, car on ne sait jamais... Aucune société n'est malheureusement à l'abri de la régression en matière de valeurs sociales.

Heureusement, nous sommes revenus à la fête. Comme c'était l'anniversaire de Bill Clinton, qui célébrait ce jour-là ses 71 ans, la fille du jubilaire, la charmante Chelsea, s'est avancée avec sa mignonne petite fille, Charlotte. À moins de 3 ans, la petite tenait dans ses mains un joli gâteau avec une chandelle allumée et chantait «bonne fête grand-papa». Bill avait les larmes aux yeux. C'était très émouvant!

Pour cet homme qui a connu une jeunesse extrêmement difficile avec un beau-père tyrannique, c'était sûrement un moment sublime de se retrouver ainsi entouré d'une femme exceptionnelle, d'une fille de qualité ressemblant à Hillary, d'un gendre de première classe et de deux charmants petits-enfants.

Durant le dîner qui a suivi, au cours duquel le chef de l'établissement présentait un repas gastronomique de sept services de la plus haute qualité, je conversais avec Hillary à ma droite et Louise Penny à ma gauche. Ce qui me permit d'avoir des échanges riches avec ces deux femmes de grande classe. Hillary était la même femme avec laquelle j'avais conversé alors qu'elle était la première dame des États-Unis et que j'étais premier ministre. Elle aimait bien rire, mais se montrait également très désireuse de vous questionner sur les grands sujets de l'heure. Même si au cours des 17 dernières années elle avait été tour à tour secrétaire d'État dans le gouvernement Obama et la candidate démocrate qui a récolté 3 millions de votes de plus que Donald Trump à l'élection présidentielle, elle m'a paru déçue bien sûr de sa défaite, mais pas amère. Elle était maintenant très inquiète de la situation politique dans son pays. Elle s'est dite heureuse pour le Canada qu'il ait un premier ministre progressiste et très populaire dans le monde comme Justin Trudeau et m'a encore questionné sur notre système national de santé, tout comme elle le faisait à l'époque où j'étais encore aux affaires. Devant l'envergure de ses connaissances, son intelligence, son expérience, son engagement absolu envers le service public, je me disais : « Quelle présidente elle aurait faite ! » C'est bien triste de constater l'erreur monumentale que nos voisins du Sud ont commise en novembre 2016 !

Je crains que la défaite d'Hillary et l'arrivée de cet énergumène qu'est Trump ne marquent vraiment le début de la fin de l'empire américain. Vous comprendrez pourquoi Aline et moi sommes si heureux d'être amis des Clinton et presque fiers d'être aussi éloignés que possible de l'ineffable Donald Trump.

Ah oui! Vous voulez sûrement savoir qui a gagné le match de golf au lac Memphrémagog… Je dois vous dire que le tout est un secret d'État. Je peux ajouter que j'ai bien défendu les honneurs du Canada, malgré mes 83 jeunes années, et en particulier lorsque j'ai exécuté un coup roulé de plus de 50 pieds! Les caddies québécois et les membres de la GRC qui étaient avec nous semblaient très satisfaits de leur ancien premier ministre âgé de presque 13 ans de plus que le président Clinton.

38

Viser la mauvaise cible

IMMÉDIATEMENT APRÈS MON DÉPART DE LA VIE POLITIQUE À la toute fin de 2003, le magazine hebdomadaire de réputation internationale *The Economist* a publié un article de fond sur le Canada pour souligner mon départ avec en page couverture un orignal portant des lunettes fumées roses chapeauté du titre « *Canada Is Cool* ». Dans cette édition plutôt flatteuse pour l'équipe que j'ai dirigée à partir de 1993, *The Economist* analysait nos dix années de gouvernement. Quelques années plus tard, à l'arrivée au pouvoir de David Cameron au Royaume-Uni, le *Financial Times* de Londres avait organisé une réunion de gens d'affaires à laquelle avaient participé le premier ministre britannique et son ministre des Finances, George Osborne, présenté comme le chancelier de l'Échiquier dans la tradition parlementaire de son pays. J'étais l'un des invités du prestigieux groupe, où chacun voulait savoir comment nous avions fait pour passer d'un déficit de 6,2 % du revenu national brut à un surplus budgétaire en seulement trois ans. Une des questions que l'on m'avait notamment posées était : «Comment avez-vous pu réussir cette politique sans provoquer de grève dans le secteur public ? » Je leur ai dit que j'étais également surpris d'avoir réussi ce tour de force sans une seule grève, et j'avais d'ailleurs posé directement la question aux chefs syndicaux au cours d'une rencontre. Et je ne sais pas si c'est un compliment ou une critique, mais ils m'avaient répondu qu'ils savaient que rien ne me ferait changer d'idée et avaient donc considéré comme inutile d'organiser des grèves.

Dans le même esprit, à la fin du mandat du président français Jacques Chirac, son parti politique m'avait demandé de rencontrer des ministres, des députés et des hauts fonctionnaires pour discuter du succès des Canadiens dans l'élimination des déficits budgétaires. Rien de surprenant, car des délégations de plusieurs pays sont venues à Ottawa avec le même intérêt, et la grande patronne de la fonction publique fédérale, la greffière du Conseil privé, Jocelyne Bourgon, a fait des douzaines de présentations sur ce sujet à travers le monde après son départ de la fonction publique. Au cours de ma présentation à Paris, quelqu'un m'a posé une question hors sujet qui m'a amené à m'exprimer sur la politique française. La question était : «Que pensez-vous de la campagne électorale que mène Nicolas Sarkozy ? » J'ai répondu que je croyais qu'il faisait une grave erreur en attaquant son prédécesseur Jacques Chirac, issu de la même famille politique que lui, pour s'en démarquer plutôt que de s'en prendre à son véritable adversaire, Ségolène Royal. La grande majorité des participants étaient d'accord et je leur ai dit qu'il leur appartenait donc de transmettre ce message à Sarkozy, mais on a laissé entendre que ce serait plus efficace si c'était moi qui lui parlais. Avant d'accepter d'aller voir Sarkozy, j'ai consulté mon ami Jean Pelletier, qui m'a conseillé d'en parler d'abord avec le président Chirac.

Le soir même, j'ai dîné avec Aline à l'Élysée, et au cours du repas j'ai demandé à Jacques Chirac si je devais aller voir Sarkozy, comme son parti me le demandait. Alors, j'ai bien senti que le président n'était pas un « fan » de son futur successeur. En utilisant une série d'épithètes négatives pour décrire Sarkozy, il a conclu que je perdrais mon temps. Par contre, son épouse, Bernadette, était complètement d'avis contraire. Elle m'a dit : « Jean, c'est votre devoir de le faire. » Comme tout bon mari, Jacques s'inclina devant la volonté de sa femme, et le lendemain je suis allé voir le candidat Sarkozy. D'emblée, je lui ai dit que je croyais qu'il faisait une erreur en attaquant Chirac, et j'ai ajouté qu'Al Gore avait fait campagne en disant qu'il n'était pas Bill Clinton, ce à quoi les Américains lui ont répondu que, en effet, il n'était pas Clinton, et il a perdu l'élection. Paul Martin s'était aussi appliqué à dire qu'il n'était pas Jean Chrétien, et la même chose a fini par lui arriver. De l'autre côté de la Manche, Gordon Brown s'appliquait à dire qu'il n'était pas Tony Blair, avec le même résultat que tous les autres. De plus, alors que le futur président développait une tendance à prendre Ségolène Royal de haut, je lui ai dit qu'il ne fallait surtout pas la sous-estimer, car c'était la première femme candidate à la présidence, elle s'exprimait très bien et en plus elle était jolie. S'il la laissait prendre de la distance, il pourrait avoir beaucoup de difficulté à la rattraper. Le lendemain matin, quand Aline et moi sommes retournés à l'aéroport, le député Jérôme Chartier, qui m'avait accompagné chez Sarkozy la veille, m'exhiba un journal et me dit : « Il vous a écouté, hier après-midi il a attaqué la candidate socialiste et non pas Chirac. »

J'avais aussi suggéré à Sarkozy de dire que Chirac avait écrit une grande page de l'histoire de la France et que lui en écrirait une autre qui serait nécessairement différente, parce qu'il est un personnage différent, et qu'il espérait même qu'elle serait meilleure.

J'avais observé que John Turner avait fait la même erreur que Gore, Martin et Brown. Il avait tout fait pour prendre ses distances de Pierre Elliott Trudeau à l'élection de 1984, mais il avait failli misérablement à l'élection contre Brian Mulroney. C'est pourquoi, quand je suis devenu le chef du Parti libéral en 1990, je n'hésitais pas à dire que j'avais servi dans le cabinet de P. E. Trudeau pendant 15 ans et j'acceptais mes responsabilités, car personne ne peut travailler avec un premier ministre pendant aussi longtemps pour tenter de s'en distancier par la suite.

Peut-être que les proches de mon successeur auraient dû suivre les mêmes conseils de la respectée Chantal Hébert dans sa chronique du 18 juin 2003 dans le *Toronto Star*, peu de temps avant mon départ, alors que mon niveau d'approbation était très élevé au Québec dans la foulée de ma décision sur l'Irak. En considérant le potentiel de gains importants pour les libéraux au Québec au cours de la prochaine élection, elle suggérait que mon successeur devrait y penser longuement et profondément avant de se distancier de moi et de mon héritage de fin de mandat.

Il est aussi intéressant de noter que le premier ministre libéral d'Australie John Howard, qui a occupé ce poste pendant 11 ans jusqu'en 2007, n'appréciait pas la conduite de son ministre des Finances, Peter Costello, qui ne cachait pas ses ambitions à la succession. Excédé par cette pression constante, Howard a décidé de se présenter une cinquième fois plutôt que de laisser la voie libre à son successeur anticipé. Résultat : son parti a perdu l'élection aux mains des travaillistes et lui-même a été défait dans sa circonscription électorale. Quant à Costello, après la défaite, il a refusé de prendre la direction du parti pour quitter la vie politique un peu moins de deux ans plus tard. Il n'est jamais devenu chef du Parti libéral et encore moins premier ministre d'Australie. Tout ça pour ça…

39

De la nécessité de l'art dans la vie

Le jeudi 7 septembre 2017, j'ai ressenti beaucoup de fierté quand j'ai vu dans *La Presse+* la superbe sculpture de 33 pieds de hauteur qui accueille les gens qui arrivent à Montréal par l'entrée Bonaventure. C'est un don de mécènes que je connais bien : ma fille et mon gendre, France Chrétien Desmarais et André Desmarais. Ce magnifique chef-d'œuvre baptisé *Source*, du réputé sculpteur espagnol Jaume Plensa, cause à fois la surprise et la fierté des Montréalais, lesquels peuvent ainsi entrevoir la beauté et l'avenir de leur ville au-delà du régime des cônes orange dont elle souffre pour l'instant. L'art sous toutes ses formes a souvent un grand impact dans la vie d'une communauté : il lui donne une âme. Les dirigeants des villes, des provinces et du pays hésitent à investir dans des projets parfois un peu plus coûteux quand on les veut plus beaux, et c'est une grave erreur.

Quant à nous, après avoir réussi à équilibrer le budget, nos programmes mieux financés nous ont permis de voir apparaître la Maison de l'Opéra à Toronto, l'agrandissement de la Galerie des arts de Toronto par le fameux architecte Frank Owen Gehry et le fameux Musée canadien pour les droits de la personne à Winnipeg. Je me suis particulièrement intéressé au Musée canadien de la guerre à Ottawa, construit sous mon gouvernement, qui est devenu le musée le plus visité de la capitale, même si certains trouvaient son architecture trop moderne et que les militaires le souhaitaient plus près du Musée de l'aviation et de l'espace à Rockcliffe. Je suis également intervenu de façon plutôt inusitée pour le premier ministre dans un autre dossier culturel. En effet, la ville de Shawinigan avait transformé l'ancienne usine d'Alcan en immenses salles où le directeur de la galerie nationale, monsieur Pierre Théberge, et le surprenant Robert Trudel, directeur de la Cité de l'énergie, organisaient tous les étés de grandes expositions de sculpture, jusqu'à ce que les conservateurs mettent fin à ce programme du Musée des beau-arts du Canada.

Au cours de l'été 2002, ils ont monté dans ces grands espaces une spectaculaire exposition de sculpteurs qui a accueilli 65 000 visiteurs en deux mois et demi. Ils avaient emprunté à l'artiste Louise Bourgeois son immense œuvre intitulée *Maman*, mais surnommée « L'araignée ». Elle est maintenant exposée devant le Musée des beaux-arts du Canada, sur la rue Sussex à Ottawa, et c'est certainement l'œuvre la plus photographiée de la capitale nationale. Je passe à cet endroit deux fois par jour et je vois constamment des touristes y prendre des photos. Pendant l'été 2002, j'ai visité cette exposition à l'espace de Shawinigan en compagnie du président Jacques Chirac et de son épouse, Bernadette. Madame Chirac a été frappée par cette sculpture spectaculaire et m'a demandé d'où elle venait. Je lui ai dit que nous l'avions empruntée à Louise Bourgeois, une artiste française vivant à New York. Elle m'a dit : «Jean, si j'étais premier ministre du Canada, je ne la retournerais pas aux États-Unis, j'en ferais l'acquisition.»

Elle m'a convaincu, et quand je suis revenu à Ottawa, j'ai fait venir le directeur général de la Galerie nationale, l'excellent Pierre Théberge, et lui ai dit d'acheter l'œuvre de Louise Bourgeois. Comme tout bon fonctionnaire, il m'a répondu qu'il n'avait pas le budget nécessaire à pareille acquisition. Je lui ai dit d'informer le Conseil du Trésor qu'il avait reçu ordre du premier ministre pour que la fameuse sculpture ne retourne jamais à New York. Quand je pense à la signification de cette spectaculaire œuvre d'art, je me réjouis encore de mon geste. Louise Bourgeois l'a appelée *Maman* en l'honneur de sa mère, qui a passé sa vie à réparer des tapisseries anciennes, travaillant du matin jusqu'au soir avec patience et dextérité pour préserver des œuvres d'art pour les générations à venir, comme une araignée tissant inlassablement sa toile.

Chaque fois qu'un jeune me demande ce qu'il faut faire selon moi pour réussir dans la vie, je réponds invariablement que la voie la plus sûre, c'est de travailler fort. La présence de ce symbole du travail devant le Musée des beaux-arts sur la rue Sussex, où demeure le premier ministre du pays, vient rappeler à celui qui a l'honneur d'assumer cette grande responsabilité qu'il doit toujours travailler très fort.

J'ai toujours beaucoup aimé les arts et j'ai d'ailleurs monté au fil du temps une collection de sculptures inuites et de tableaux. Parfois, je souris quand je pense que j'ai un jour défendu devant un comité de la Chambre des communes l'achat d'une peinture de Mark Rothko au prix d'un million de dollars. Quelle irresponsabilité! Quel gaspillage d'argent! Aujourd'hui, ce tableau se vendrait plus de 30 millions.

Parfois, la musique peut aussi être utile en politique. Ainsi, mon ministre des Affaires intergouvernementales Stéphane Dion avait organisé en octobre 1999 une grande conférence à Mont-Tremblant sur le fédéralisme. Comme nous recevions des délégations d'une trentaine de pays, Stéphane voulait ouvrir et fermer la conférence avec des invités de prestige. Il était venu me voir pour me dire qu'il voulait que le président des États-Unis Bill Clinton ouvre la conférence et que le président du Mexique Ernesto Zedillo soit l'invité à la clôture. Je lui avais répondu que sa demande était exagérée; que ce n'était pas possible; que les deux hommes d'État avaient autre chose à faire que d'assister à des conférences…

Il avait insisté, insisté, et je lui avais répété que c'était impossible. Néanmoins, par un heureux hasard, Clinton devait venir à Ottawa pour inaugurer la nouvelle ambassade des États-Unis sur la rue Sussex. J'en ai profité pour lui proposer de faire une présentation à l'heure du lunch à Mont-Tremblant et de jouer au golf là-bas dans l'après-midi. Il m'a tout simplement dit: «Très bonne idée, Jean.» J'avais donc réussi mon premier miracle et j'ai ensuite appelé Zedillo au Mexique pour lui demander de venir clore la conférence. Sans surprise vraiment, il m'a dit que c'était impossible, car le président du Mexique doit demander la permission à son Parlement pour quitter le pays. Je lui ai dit que c'était dommage, car s'il avait accepté mon invitation, Diana Krall aurait donné un concert privé pour lui. Il faut savoir que lors d'une visite à Mexico, Aline et moi avions eu le plaisir de passer quelques heures avec

Zedillo au palais présidentiel. Comme musique d'ambiance, le président mexicain avait mis un disque de Diana Krall et m'avait confié combien il aimait écouter cette Canadienne «blanche qui chante comme une Noire...»

Eh bien, il a finalement demandé et obtenu la permission du Parlement du Mexique pour venir au Canada. Alors, Aline et moi avons reçu les Zedillo au 24 Sussex avec quelques amis. Diana Krall avait gracieusement accepté de venir jouer. J'ai fait asseoir Ernesto près du piano et, gentiment, Diana lui demandait quelle pièce il voulait entendre. Le président du Mexique était au septième ciel et j'avais ainsi réussi mon second miracle. La conférence a reçu le président des États-Unis pour l'ouverture et le président du Mexique pour la clôture. Stéphane Dion trouvait ça tout simplement normal alors que j'étais encore surpris d'avoir réussi un coup pareil. Les arts, la musique en particulier, auront réussi à attirer un président mexicain là où la dimension politique seule n'aurait pas suffi; un véritable coup de maître, diront certains...

Comme j'ai toujours cru que les arts contribuaient de façon très importante à la qualité de vie d'un pays, dès que nous avons dégagé des surplus budgétaires en 1997, nous avons consacré la première allocation supplémentaire au ministère du Patrimoine. Par ailleurs, le premier sénateur que nous avons nommé, Jean-Louis Roux, a été l'un des plus grands hommes de théâtre au Canada. Il a terminé sa carrière à titre de président du Conseil des arts. Pendant que j'étais premier ministre, d'autres artistes bien connus l'ont également suivi au Sénat, comme Tommy Banks de l'Alberta, Viola Léger «La Sagouine» du Nouveau-Brunswick et Jean Lapointe du Québec.

40

Allan J. MacEachen,
un géant de la politique

En septembre 2017, je suis allé en Nouvelle-Écosse pour être présent au mémorial de Allan J. MacEachen à l'Université Saint-Francis-Xavier d'Antigonish. Allan J. nous a quittés à l'âge de 96 ans. Il était un de ces personnages mythiques profondément ancrés dans le tissu historique du Parti libéral au cours de ses 150 ans d'existence. Il représentait largement ce que l'on appelle la « mémoire institutionnelle » non seulement du Parti libéral, mais aussi du gouvernement du Canada pour en avoir été membre si longtemps. C'était un de ces personnages qui ont œuvré toute leur vie près du pouvoir décisionnel et pouvaient ainsi nous rappeler à l'occasion ce que nos prédécesseurs avaient fait dans des circonstances similaires.

Les éloges à l'endroit de ce personnage politique hors dimension ont été extraordinaires et à la hauteur de l'homme.

Il a œuvré pendant 43 ans sur la colline, d'abord comme député, puis comme conseiller principal du chef de l'opposition L. B. Pearson, et enfin comme ministre pilier dans les cabinets des premiers ministres Pearson et Trudeau, de 1963 à 1984. Quel talent et quelle expérience! Comme collègues au Cabinet pendant 18 ans, nous nous sommes appuyés mutuellement dans nos grands dossiers et avons développé une belle amitié. Pour lui comme pour moi, notre circonscription électorale était la plus grande préoccupation, car nous savions que sans notre siège de député, c'en était fini de la politique. Voilà pourquoi lorsque je suis devenu ministre des Affaires indiennes et du Nord canadien, et donc responsable des parcs du Canada, il m'a invité à me rendre au plus tôt dans sa circonscription pour visiter le parc national des Hautes-Terres-du-Cap-Breton, la forteresse de Louisbourg et les Acadiens de Chéticamp et de l'Isle Madame. Au cours de cette visite, il m'a expliqué l'importance économique du parc national et m'a donné l'idée d'établir un parc semblable dans ma région de Saint-Maurice, ce que j'ai réussi à faire trois ans plus tard.

Régulièrement, il m'invitait dans sa région pour des campagnes de financement et des visites, en particulier dans des villages acadiens avec des noms comme Arichat, Gros Nez, Petit Nez, Petit-de-Grat. Un soir, alors que je faisais campagne à l'Isle Madame, on m'a informé que j'étais le premier ministre francophone à visiter la place et y faire un discours depuis sir Wilfrid Laurier. Mes visites au Cap-Breton ont été parmi les plus belles expériences de ma vie politique. Nous étions, Allan J. et moi, les plus grands promoteurs du développement régional. Les investissements fédéraux des années 1970 jusqu'à nos jours ont produit les effets espérés. Aujourd'hui, le revenu moyen dans les provinces de l'Est représente 90% du revenu moyen de l'Ontario, alors qu'au début de ces programmes, il n'en représentait que 50 %. Des affiches comme « Ici nous embauchons » ne s'y voyaient pas à l'époque.

À l'occasion d'une retraite ministérielle du Cabinet à l'hôtel Keltic Lodge à Ingonish, Allan J. avait organisé un cocktail pour permettre à ses partisans de rencontrer le premier ministre Trudeau et ses ministres. Des électeurs de Bay St. Lawrence m'ont reproché de visiter régulièrement Chéticamp, mais jamais leur village de pêcheurs voisin. Je me suis donc rendu le soir suivant dans ce village situé le plus au nord-est du Cap-Breton. Ils m'ont fait une réception que je n'oublierai jamais. Avec leur joie de vivre naturelle, ces pêcheurs isolés, joyeux lurons, ont fait manger au ministre de la Justice du Canada du homard pêché hors saison, donc illégal, de la viande d'orignal, évidemment aussi hors saison, et de l'alcool frelaté. Pas mal, pour un ministre de la Justice... Pendant que nous mangions, un poste de télévision diffusait une partie de baseball de la série mondiale et tous étaient attentifs. Soudain, une pluie torrentielle s'est abattue en véritable tempête sur le village, aussitôt privé d'électricité. Le match était chaudement disputé et les amateurs de sport étaient donc très déçus. Quelqu'un a déniché un poste radio à piles et syntonisé une station qui pourrait décrire le reste de la partie. Seulement, la seule station de radio qu'il a trouvée diffusait la description du match en français à partir des îles de la Madeleine. Alors, de ministre de la Justice, je suis aussitôt devenu journaliste sportif, car j'étais le seul francophone dans la pièce qui pouvait comprendre et décrire en anglais ce match de la série mondiale.

L'épisode peut-être le plus important que j'ai vécu avec Allan J. fut la défaite en Chambre du gouvernement de Joe Clark le 13 décembre 1979. Élus à la fin du printemps de la même année, les conservateurs ont attendu jusqu'en novembre pour présenter leur premier budget. Comme Pierre Elliott Trudeau venait d'annoncer sa retraite, les libéraux se retrouvaient de fait sans chef. Le ministre des Finances John Crosbie n'avait pas craint de voir son gouvernement minoritaire défait par des libéraux orphelins de chef et avait donc décidé de présenter un budget plutôt sévère avec une augmentation substantielle de la taxe sur l'essence. Comme j'étais l'ancien ministre des Finances, j'ai assisté à la séance d'information à huis clos du ministère des Finances juste avant la présentation du budget. Les fonctionnaires avaient fait leur présentation en anglais seulement et, comme personne ne pouvait traduire en français au bénéfice du chef des créditistes Fabien Roy, qui ne parlait pas l'anglais, je suis devenu son traducteur par nécessité. Je savais que les créditistes songeaient à appuyer le budget Crosbie, mais je crois que mon interprétation a au contraire décidé Fabien à s'abstenir de voter plutôt que de soutenir ce budget.

J'avais donc informé Allan J. qu'avec l'abstention anticipée des créditistes, nous allions défaire le gouvernement de Clark si tous nos députés votaient. Comme leader de l'opposition en Chambre, Allan J. avait informé Trudeau de la situation. Trudeau lui avait répondu qu'il allait y réfléchir avant de décider de défaire le gouvernement. Il avait ajouté que s'il ne le rappelait pas avant 17 h, Allan pourrait prendre les dispositions pour défaire le gouvernement. À 16 h 30, je me suis rendu au bureau d'Allan pour attendre la décision définitive de Trudeau. MacEachen et moi étions seuls dans son bureau. L'heure fatidique a sonné et l'appel téléphonique de notre chef n'est jamais venu. Tous deux, nous nous sommes levés, un peu nerveux, nous nous sommes serré la main et souhaité bonne chance pour l'élection à venir. Quand ce fut le temps de voter, tous les libéraux étaient à leur siège, même le député de Trois-Rivières est sorti de l'hôpital pour venir joindre son vote à celui de ses collègues. Rodger Simmons, élu au cours d'une élection partielle quelques jours plus tôt, a été assermenté le matin et a voté avec nous le soir même. Il n'aura siégé qu'un seul jour au cours de cette législature. Le briefing que j'ai donné ce jour-là a produit le résultat désiré, car l'abstention des députés créditistes de Fabien Roy a conduit au rejet du budget de mon ami John Crosbie. Conséquence de ce vote : le premier ministre Joe Clark a été contraint de déclencher des élections qu'il a perdues.

Cette défaite des conservateurs aura eu à mon avis un impact considérable. Trudeau, qui avait été le chef du Parti libéral pendant quatre élections, ne voulait pas faire face à un vote de confiance à la réunion bisannuelle du Parti et ne désirait pas non plus continuer en politique. Il avait donc décidé de prendre sa retraite au cours des mois précédents. Entre-temps, René Lévesque avait décidé de tenir un référendum en mai 1980. Au moment de sa décision, il était très heureux d'avoir à affronter un Joe Clark plutôt qu'un Pierre E. Trudeau comme premier ministre du Canada. Or, ce jour fatidique de la défaite de Joe Clark, Trudeau avait très vite compris que ce serait pour lui l'occasion de redevenir chef des libéraux et premier ministre du Canada afin d'affronter les séparatistes de René Lévesque. Et l'histoire lui a donné raison.

Alors, Allan J. MacEachen et Jean Chrétien sont toujours demeurés reconnaissants envers Fabien Roy pour sa faculté de réviser ses positions sur la base d'une interprétation du budget rendue nécessaire en raison de son unilinguisme…

41

L'humour est une arme en politique

En cette fin d'automne 2017, à l'heure où l'on se réveille chaque matin vaguement inquiets de ce qu'ont pu faire durant la nuit nos deux fils à papa Donald Trump, président des États-Unis, et Kim Jong-un, dirigeant de la Corée du Nord, eux qui ont le pouvoir de déclencher une catastrophe nucléaire, l'envie de rire ne nous traverse pas trop souvent l'esprit. Il fut un temps où les politiciens, malgré les tracas quotidiens, aimaient bien rire et au surplus utilisaient l'humour pour atteindre leurs buts. Bien sûr, c'était une époque où la rectitude politique n'était pas une obsession. On pouvait encore rire pratiquement sans arrière-pensée. Voilà pourquoi le texte qui suit pourrait parfois paraître un peu burlesque et vous convaincra peut-être que la politique pourrait être plus civilisée qu'elle l'est aujourd'hui.

En ce qui me concerne, l'humour bien dosé m'a souvent servi d'arme politique efficace. La vérité à froid est parfois difficile à avaler, mais lorsqu'elle est habilement enrobée d'humour, elle passe beaucoup plus facilement. Ma région, la vallée de la Mauricie, a produit au moins trois politiciens à succès qui ont démontré un talent exceptionnel dans le maniement de l'humour tout au long de leur carrière. Il s'agit de Maurice Duplessis, Réal Caouette et Camille Samson. Ils m'ont certainement inspiré, et j'ai peut-être hérité d'une partie de leur habileté à présenter des enjeux politiques parfois complexes dans un humour de terrain proche des gens et de leur quotidien. Comme pour moi, leur humour a souvent été pris de haut dans certains milieux qui ne le considéraient pas comme suffisamment sophistiqué à leurs yeux. Quoi qu'il en soit, cet humour à ras du sol ne s'en est pas moins révélé souvent extrêmement efficace, n'en déplaise aux esprits chagrins. Quant à moi, je m'en suis servi avec un certain succès durant mes 40 ans de vie publique. Voici d'ailleurs quelques-unes des perles qui ont fait le succès de ces trois politiciens hors norme de ma région.

Lors de l'élection provinciale de 1949, Duplessis avait été placé sur la défensive par ses adversaires libéraux sur le problème de l'électrification rurale dès l'ouverture des hostilités. Dans son premier discours de campagne, le vieux renard qu'il était commença en disant : « Électeurs, électrices, électricité. » Ce fut l'éclat de rire généralisé dans toute la province. Avec un seul mot bien placé, « électricité », Duplessis avait désamorcé la bombe. Célibataire de son état, il aimait bien dire qu'il était marié avec la province. En raison de son nom, Maurice Le Noblet Duplessis, on lui reprochait d'être un peu trop bourgeois, alors il gardait deux chapeaux dans sa voiture : l'un neuf, chic et bien propre, pour ses sorties bourgeoises; l'autre complètement défraîchi, pour ses rencontres avec le peuple. Il pouvait parfois pratiquer un humour absolument caustique. Parlant par exemple d'un avocat qu'il venait de nommer juge à la cour provinciale, il disait de lui: «Je ne l'ai pas nommé juge, je l'ai créé juge, car j'ai fait de rien un juge.» À une autre reprise, alors qu'il assistait à une réception où était également présent Jean Bruchési, un ancien ambassadeur devenu haut fonctionnaire à Québec, Duplessis l'entendit dire que l'on ne devait pas prononcer son nom Bruchési, mais plutôt Brukési. Maurice avait aussitôt répliqué en riant: «Monsieur Brukési, vous me faites «kier...»

Le premier chef des créditistes au Québec, Réal Caouette, est né dans ce qui est aujourd'hui Shawinigan. Plusieurs membres de sa famille étaient des amis de mon père, et lorsque je lui ai serré la main à la Chambre des communes, il m'a dit en riant: «Ce n'est pas toi qui as battu mon candidat, c'est ton père.» Il m'arrivait parfois de m'asseoir avec lui à la Chambre des communes et, un jour, il m'a confié que sa famille était très libérale et que, lorsque le soir après le souper tous les membres de la famille récitaient le chapelet quotidien dans le salon, agenouillés devant le crucifix et un portrait de sir Wilfrid Laurier, ils ne savaient pas lequel des deux ils priaient.

Immédiatement après son élection comme chef du Parti libéral du Canada et son assermentation comme premier ministre, Pierre Elliott Trudeau a déclenché des élections. Ce fut aussitôt la Trudeaumanie au Canada anglais, mais pas au Québec. En effet, nous avons perdu cinq sièges au Québec et Caouette en a récolté cinq de plus, en grande partie grâce à sa fougue et à son humour. Comme ministre de la Justice, Trudeau avait fait adopter sa loi omnibus dépénalisant notamment l'homosexualité, et à propos de laquelle il avait déclaré que le gouvernement n'avait pas d'affaire dans les chambres à coucher de la nation. Dans le débat télévisé des chefs qui avait suivi, on avait demandé à Réal ce qu'il pensait de la légalisation de l'homosexualité. Ce à quoi il avait répondu qu'il n'avait aucun problème avec ça, sauf que, avait-il dit : « Qu'allons-nous faire pour l'éducation de leurs enfants ? » Cette remarque, qui serait tout à fait déplacée aujourd'hui, avait néanmoins déclenché un fou rire général dans le Québec rural de l'époque.

Alors que ma campagne électorale faisait de mon accession au Cabinet à seulement 33 ans le gros argument de promotion de ma candidature, en une seule phrase, Caouette l'avait laminé avec un slogan plutôt cru dont ses partisans ont abondamment usé contre moi : « Ministre ou pas ministre, pas de caprice dans Saint-Maurice, on vote créditiste câli… » Sans doute pas de la plus grande sophistication, mais certainement d'une efficacité si redoutable que ma majorité est passée de 7000 à 2000 votes à peine. Que voulez-vous faire contre ça ?

Enfin, le troisième de ces politiciens exceptionnels, Camille Samson, est né dans le même quartier que moi ; il a également été confrère de classe d'Aline à l'école élémentaire, et devint plus tard le chef des créditistes provinciaux. À la fin de sa carrière, il s'est joint à mon équipe alors que j'étais premier ministre et nous sommes devenus bons amis. Alors qu'il était député créditiste à l'Assemblée nationale, il était celui que l'on considérait comme le plus coloré. C'est lui qui représentait son parti au comité du Non pour le référendum de 1980. Pendant des semaines, Claude Ryan, le président du comité du

Non, Camille Samson, Michelle Tisseyre et moi participions ensemble aux assemblées publiques.

Camille était toujours très drôle, et voici d'ailleurs trois de ses boutades pour l'illustrer. Il aimait dire qu'il lui fallait réellement croire au Canada pour être en faveur du Non, car il vivait à Rouyn-Noranda, tout près de l'Ontario, alors que sa belle-mère vivait à Sudbury, et que si le Québec se séparait elle aurait besoin d'un passeport pour venir le visiter.

Il trouvait aussi que la question de 103 mots posée par les séparatistes était tellement confuse que c'était comme si René Lévesque disait aux Québécois de sauter dans le vide du haut de la place Ville-Marie et que, rendu au 10e étage, si vous n'aimiez pas ça, il passerait une loi pour modifier la loi de la gravité !

Dans toutes les consultations populaires, pendant les semaines qui précèdent le scrutin, il y a des fluctuations dans les intentions de vote. Le référendum de 1980 n'a pas échappé à cette dynamique. Camille Samson s'amusait de ce phénomène en racontant que lui aussi faisait des sondages et que, au début de la campagne, il était descendu dans sa cave, où sa chatte avait mis au monde neuf chatons. Il leur avait demandé quelles étaient leurs intentions de vote au référendum et les neuf chatons avaient répondu qu'ils voteraient Oui. Quatre semaines plus tard, il était retourné dans la cave leur poser la même question et les neuf chatons avaient cette fois répondu qu'ils voteraient Non. Camille demandait ensuite à l'Assemblée : « Savez-vous pourquoi ils ont changé d'avis ? Eh bien, c'est parce que maintenant ils ont les yeux ouverts. »

Vous voyez, parfois, l'humour en politique fait d'abord sourire, et souvent réfléchir par la suite.

42

Quelques souvenirs de grandes conférences internationales

LES GRANDES RÉUNIONS INTERNATIONALES DE CHEFS D'ÉTAT et de gouvernement donnent souvent lieu à des situations et des échanges cocasses. Par exemple, lors du sommet de l'OTAN à Madrid en juillet 1997, Bill Clinton, qui avait la mauvaise habitude d'arriver plus d'une heure en retard, nous a refait le coup à la réception donnée par le roi d'Espagne. Le soir d'avant et au matin pour un déjeuner spécial, il était encore en retard et on sentait monter la frustration chez les dirigeants. Alors, pour alléger l'atmosphère, je me suis lancé dans une tirade humoristique sur la gouvernance américaine. Entre autres sur les pouvoirs du président, si étroitement encadrés par le Sénat et le Congrès qu'un oui présidentiel n'était pas un oui mais un peut-être; sur les républicains du Nord plus proches des démocrates du Nord que des républicains du Sud et vice-versa; sur le fait qu'il n'y avait pas vraiment de parti politique, car le président ne contrôlait rien dans la nomination des candidats de son parti, etc., etc.

Quand j'ai pris ma place à la table de la Conférence, mon voisin le premier ministre belge Jean-Luc Dehaene, qui avait raté ma présentation humoristique, m'a demandé de la répéter. J'ai donc répété en français ce que j'avais dit en anglais à nos collègues. Or le micro devant nous était ouvert et plusieurs journalistes ont entendu mes boutades pas très diplomatiques. Ce fut le feu d'artifice. Mon conseiller diplomatique, James Bartleman, n'a jamais voulu me répéter les propos que le conseiller à la sécurité nationale américain Sandy Berger avait tenus à mon égard, de peur d'offenser mes chastes oreilles. Notre ambassadeur à Washington, Raymond Chrétien, s'est fait enguirlander par des responsables américains et Bill Clinton s'en est sorti très diplomatiquement en disant qu'il allait régler tout ça à notre prochaine partie de golf. J'ai donc laissé passer la tempête pendant deux jours, et quand j'ai joint Bill pour m'excuser, il a gracieusement accepté mes excuses, m'a dit que la même chose, soit trop parler devant un micro laissé ouvert par inadvertance, lui était déjà arrivée et qu'il y avait beaucoup de vrai dans ce que j'avais dit. Je suis sûr qu'il a gagné la partie de golf suivante…

* * *

À une autre occasion, alors que j'étais à Londres à une réunion des chefs de partis progressistes à la recherche d'une troisième voie entre le socialisme et le libéralisme, à laquelle assistaient Clinton des États-Unis, Blair du Royaume-Uni, Schroeder d'Allemagne, Cardoso du Brésil et une dizaine d'autres leaders, on a permis une seule question par pays à la conférence de presse. Et quand est arrivé le tour du journaliste canadien, il m'a posé une question sur l'économie canadienne qui n'avait pas sa place à ce moment-là. Un peu frustré, je lui ai répondu que l'économie canadienne allait très bien et que nous avions un seul vrai problème, «*a goddam mad cow*». Traduction: «une maudite vache folle». Clinton s'est alors mis à rire, et rire, et rire… Après l'ajournement, il m'a dit: «Jean, il n'y a que toi qui peux dire devant la presse inter- nationale "*a goddam mad cow*" et t'en sortir sans égratignure.»

* * *

Une autre fois, au cours d'une visite à la Maison-Blanche, alors que Bill Clinton et moi tenions une conférence de presse, j'ai dit dans un moment d'enthousiasme que le Canada était le meilleur pays au monde. Imaginez la scène: je suis dans le «Rose Garden» de la Maison-Blanche aux côtés du président des États-Unis et je vante sans la moindre retenue les vertus de mon pays. Ce n'était sans doute ni l'endroit ni le moment opportun pour tenir ces propos, mais ce qui est dit est dit. Alors, Clinton a rétorqué: «Es-tu sûr de ça, Jean?» Conscient de mon débordement, je lui ai répondu en riant: «Absolument.»

* * *

À Naples lors d'un Sommet du G7 en 1994, au cours du dernier déjeuner, nous avions un repas des sept chefs de gou- vernement sans la présence des fonctionnaires et nous voulions remercier François Mitterrand, qui terminait son 14e et dernier sommet. À un certain moment, j'ai dit que si le Bas-Canada s'était joint à la révolution américaine, la langue officielle des États-Unis aurait probablement été le français, car la Louisiane (ainsi nommée en hommage à Louis XIV) était un État amé- ricain, Jefferson et Adams avaient tous deux été ambassadeurs à Paris et parlaient le français et le vote sur le sujet au Congrès avait été serré entre l'anglais et le français. Je pouvais voir Mitterrand s'imaginant président des États-Unis – quel beau rêve ! Bill Clinton avait alors dit que si le français avait été la langue de son pays, il serait probablement ici à prendre des notes pour le président Chrétien. Franchement, c'était très gentil de sa part…

* * *

Dix ans plus tard, j'ai eu l'occasion de lui rendre la politesse. Au printemps 2003, après une visite officielle à Saint-Domingue, je suis resté en vacances sur l'île et j'ai joué au golf avec Clinton. À la fin de la partie, nous avons déjeuné chez un de ses amis latino-américains et j'expliquais aux convives que Bill Clinton était très populaire au Canada. À la blague, je disais que j'avais le pouvoir de faire de lui immédiatement un citoyen canadien. Ainsi, il pourrait être candidat à ma succession comme chef du Parti libéral du Canada et premier ministre avant la fin de l'année. Bill pouffa de rire et, se tapant sur la cuisse, il dit : «Je connais tous les dossiers et j'en ferais facilement voir de toutes les couleurs à George W.» (Traduction libre de «*I would easily take him to the cleaner…*»)

* * *

Malgré ce que les journaux de droite ont pu dire à ce sujet, mes relations personnelles avec George W. Bush étaient très cordiales. Comme moi, il arrivait toujours parmi les premiers à chacune des réunions, et c'était pour nous l'occasion d'agréables apartés durant les minutes à attendre nos collègues. J'étais le seul qui pouvait lui parler de baseball et de football. Un de ces jours, en parlant justement de baseball, comme il avait été président et copropriétaire des Rangers du Texas, je lui rappelais qu'à titre de président des Rangers il avait signé un contrat avec Alex Rodriguez de 25 millions de dollars par année pour dix ans, soit un total de 250 millions, et que pour gagner autant d'argent comme président des États-Unis au salaire annuel de 500 000 $, ça lui prendrait seulement 500 ans. Et de conclure: «Que veux-tu, George, ce sont les valeurs d'aujourd'hui…»

* * *

Lorsque le tout récemment élu président George W. Bush est venu à Québec en avril 2001 pour le Sommet des Amériques, il y avait un dossier ponctuellement irritant entre nos deux pays: les États-Unis ne permettaient pas l'entrée des pommes de terre de l'Île-du-Prince-Édouard pour des raisons de santé publique, disaient-ils. Pendant les trois jours que dura sa visite, je me suis assuré que l'on mettait au menu des pommes de terre de l'Île-du-Prince-Édouard chaque fois que c'était approprié. À la fin du sommet des «trois amigos» de l'ALENA, le président des États-Unis, celui du Mexique et moi-même, accompagnés de nos ministres des Affaires étrangères, avons eu un déjeuner d'affaires. Lorsque nous nous sommes assis, Bush a regardé le menu qui était rédigé uniquement en français et s'est tourné vers Colin Powell pour comprendre ce qu'il allait manger. Powell lui a dit qu'encore une fois il allait manger des pommes de terre bannies aux États-Unis. Alors, j'ai dit au président Bush que lui et tous les autres chefs de gouvernement, les ministres et fonctionnaires des 34 pays présents avaient dégusté pendant trois jours les fameuses pommes de terre et que personne n'avait été malade… Résultat: quelques jours plus tard, l'embargo était levé. Que de choses j'ai dû faire pour remplir mon devoir de premier ministre !

* * *

Quand j'ai rencontré Tony Blair pour la première fois au Sommet du G8 à Denver en 1997, je me suis trouvé immédiatement très à l'aise avec ce jeune politicien énergique, intelligent et ambitieux, qui aimait la politique comme moi et était fier de servir. Comme la Grande-Bretagne et le Canada étaient membres du Commonwealth et avaient un système parlementaire semblable, nous partagions très souvent les mêmes vues. Peu de temps après être devenu premier ministre de son pays, Tony se trouva en difficulté à une réunion du Commonwealth qu'il présidait à Édimbourg en Écosse. Certains pays musulmans du Commonwealth voulaient que nous admettions la Palestine dans notre organisation sans l'assujettir aux exigences requises. Soudainement, Blair m'a envoyé une note me suppliant de l'aider. Alors, j'ai dit qu'à titre de premier ministre du Canada, je n'accepterais pas que l'assemblée déclare que le Québec est un pays indépendant ; de son côté, le premier ministre de Saint-Kitts-et-Névis n'aimerait pas non plus que l'on déclare Névis pays indépendant ; que l'on déclare l'Écosse pays indépendant ici même, à Édimbourg, ne ferait pas là non plus le bonheur du député écossais ici présent. Ce fut la fin de la discussion et, très gentiment, Blair est venu me remercier en français.

J'étais impressionné par ce qu'il avait fait depuis son élection comme chef du Parti travailliste. En quelques années, il avait réussi à transformer son parti empêtré dans les dédales doctrinaires de la gauche pour en faire un parti moderne, progressiste, raisonnable et surtout attrayant pour son électorat.

Après le long séjour controversé de Margaret Thatcher, il a transformé son pays en un phare de politique progressiste et moderne.

Il a malheureusement commis une erreur très grave en engageant son pays dans la guerre en Irak, mais il ne méritait pas l'impopularité qu'il a connue chez lui depuis son départ de la vie politique. Pour moi, il demeurera un grand politicien avec lequel je m'entendais vraiment très bien. Dans un extrait de ses mémoires, peut-être a-t-il lui-même exprimé le mieux ce qui nous liait. Traduction libre : « J'étais au Canada pour prononcer un discours au parlement et rencontrer mon ami Jean Chrétien, le premier ministre canadien. C'était un vieux renard très sage, rusé et expérimenté, excellent dans les réunions internationales, où l'on pouvait compter sur son bon sens, et comme les Canadiens le sont souvent, ferme et fiable sans être trop insistant. Dans l'ensemble, un bon gars et un opérateur politique très coriace à ne pas sous-estimer. »

Voilà qui me fait sourire quand je pense à ce que je lui aurais dit, toujours d'après ses mémoires, quand il m'a consulté lorsqu'il a lui-même été aux prises avec le problème de la vache folle : « Fais attention, mon jeune Tony, surveille ça de très près, car ça peut devenir extrêmement grave. » C'est vrai que j'étais de 20 ans son aîné, mais quand même, pour le premier ministre d'une ancienne colonie comme le Canada, interpeller le premier ministre de Grande-Bretagne en lui donnant du « mon jeune Tony », même si ça l'a fait rire, c'était peut-être un peu trop…

43

Les langues officielles et moi

JEUNE AVOCAT DIPLÔMÉ D'UN COLLÈGE CLASSIQUE DU QUÉBEC rural, j'ai commencé à pratiquer ma profession dans une ville à 95 % francophone. Ma connaissance de la langue de Shakespeare était donc très limitée quand je suis devenu candidat libéral en 1963. Un jour, nous avons organisé une réunion des anglophones de la circonscription et, dans un discours très court prononcé en anglais, je leur ai promis que si j'étais élu député, je serais bilingue à la prochaine élection. Quelque 15 ans plus tard, alors que je racontais cet épisode devant des amis, le premier ministre Trudeau avait dit à la blague que je n'avais pas encore rempli complètement ma promesse, même s'il m'avait déjà nommé ministre des Finances du Canada. Mes problèmes avec l'autre langue officielle sont bien connus en général, mais je voudrais vous raconter quelques incidents particulièrement cocasses qui en ont découlé.

Alors que j'étais invité par le collègue député Rick Cashin à dîner chez lui avec plusieurs autres, tous anglophones, l'un d'eux m'a demandé d'expliquer comment j'avais réussi en si peu de temps à transformer en victoire une majorité de près de 10 000 votes pour mon adversaire. C'était la première fois que je m'exprimais en anglais devant un auditoire. Avec grande difficulté, je leur ai dit que j'étais du matin jusqu'au soir, pendant 49 jours, sur les trottoirs, dans les magasins et surtout à la porte des usines à serrer des mains. Quand les ouvriers et les ouvrières sortaient en trop grand nombre et trop rapidement parfois, je ne faisais que leur toucher le bras. « *Sometimes, I would only touch them on the "bras"*. » Or « *bra* » en anglais veut dire soutien-gorge. Évidemment, tout le monde a éclaté de rire et quelqu'un a lâché : « Là, on comprend, maudit Français, pourquoi tu as gagné ton élection ! »

À une autre occasion, à la suite d'un discours à Toronto lorsque j'étais jeune ministre, quelqu'un m'a demandé qui était ce personnage influent au Québec, Claude Ryan. J'avais répondu qu'il était le directeur d'un journal très important, *Le Devoir*, que beaucoup de personnages politiques le consultaient et que, bien sûr, il aimait ça. C'était un homme si sérieux et impressionnant que sa seule présence exerçait un ascendant comparable à celui d'un cardinal à l'époque. Aussi, étions-nous presque tentés de mettre un genou à terre pour lui baiser la bague. Comme j'avais employé le mot bague plutôt que sa traduction appropriée en anglais, « *ring* », ce fut un fou rire immédiat et gigantesque. En effet, dans l'autre langue officielle, plutôt qu'un anneau apostolique, le mot « bag » est utilisé pour désigner cette partie de l'anatomie de l'homme qu'il ne convient sans doute pas de préciser ici…

Avec le temps, mon anglais s'est grandement amélioré, mais je gardais toujours un accent français très prononcé. Alors, j'avais demandé à mon professeur d'anglais de m'aider à m'en débarrasser. Mais Mme E. Mc Donald m'a répondu : « Il ne faut surtout pas perdre cet accent, car quiconque vous entend à la radio sait tout de suite que c'est le ministre Jean Chrétien qui est en ondes ; Coca-Cola paierait très cher pour avoir un tel indice de reconnaissance. » Après plus de 50 ans à Ottawa, cet accent me permet encore de dire à la blague : « Il n'y a que Maurice Chevalier et moi qui avons dû nous entraîner pour garder l'accent français en anglais. » (Maurice Chevalier est un acteur et chanteur français qui fut très populaire aux États-Unis dans les années 1950 et 1960.)

En septembre 1977, à la réunion annuelle des ministres des Finances avec le Fonds monétaire international et la Banque Mondiale à Washington, comme j'étais le premier francophone à être ministre des Finances, j'ai prononcé mon discours entièrement en français, ce qui a créé une certaine commotion chez les journalistes anglophones. À ceux d'entre eux qui m'ont demandé des explications, j'ai tout simplement dit que, depuis des décennies, le Canada ne parlait qu'en anglais à ces réunions. Eh bien, aujourd'hui, tout le monde présent sait qu'il y a deux langues officielles au Canada. À mon retour, Trudeau m'avait félicité avec un grand sourire.

Lors de l'élection fédérale de 1993, alors que je faisais campagne dans l'est de l'Ontario, dans la partie la plus loyaliste du Canada, avec entre autres un « boulevard Loyaliste » et un « Motel Loyaliste ». En sortant d'ailleurs de la « Légion loyaliste », un monsieur assez corpulent m'avait arrêté et saisi par les deux bras en me disant : « Mon nom est Lamothe, je suis un cultivateur de la région qui n'aurait jamais cru voir le jour où un politicien recevrait une ovation debout ici à la suite d'un discours prononcé partiellement en français. » « Le Canada a changé ! » lui avais-je répondu.

Au printemps de 1982, je me suis rendu à Londres à titre de ministre de la Justice responsable du dossier du rapatriement de la Constitution, pour terminer les procédures. Je devais être présent au moment où le Parlement britannique allait approuver la dernière loi concernant le Canada, car celle-ci mettait fin au lien juridique avec le Parlement de la Grande-Bretagne. Comme le protocole me demandait d'informer la reine, je m'étais rendu au palais de Buckingham pour une rencontre privée avec Sa Majesté. Elle savait que c'était pour les Canadiens un moment historique. Je lui ai dit: «Quand vous signez les proclamations royales du Parlement britannique, les mots qui précèdent votre signature sont "La reine le veult". Ainsi, Votre Majesté, pourrais-je avoir le plaisir de vous faire ma présentation dans ma langue maternelle? Ce serait très significatif pour moi. » La reine a gracieusement accepté ma requête et nous avons utilisé la langue de Molière pour cette rencontre historique.

Pour quelqu'un qui ne parlait pratiquement pas l'anglais lorsqu'il est devenu député 20 ans plus tôt à la suite d'une élection dans une circonscription où 95 % des citoyens étaient francophones, le tout m'a procuré un plaisir unique et beaucoup de fierté.

Peut-être pourrais-je ajouter que si la reine aimait parler français avec Aline et moi, comme le prince Philip d'ailleurs, c'est peut-être que lorsque nous rencontrions la reine mère, celle-ci venait rapidement vers nous pour profiter de l'occasion de parler français. Elle m'a dit un jour qu'elle a commencé à parler l'anglais à l'âge de 5 ans. Jusqu'à cet âge, elle n'a utilisé que le français, car son père, très francophile disait-elle, l'avait confiée à des mains françaises jusqu'à cet âge. Surprenant, n'est-ce pas ?

Durant toute ma carrière, je me suis fait un devoir d'utiliser les deux langues officielles, et je dois dire que je suis reconnaissant envers Stephen Harper, qui en a fait autant. À une réunion du G8, Paul Martin s'était fait reprocher par le président Chirac de ne jamais employer le français et, malicieusement, alors qu'un jour Paul voulait lui parler, Chirac a fait venir un interprète pour se moquer un peu.

Alors, vous comprendrez que lorsque je pense à tout ce qui m'est arrivé durant ma longue carrière, l'une de mes plus grandes satisfactions, c'est d'avoir persuadé le premier ministre Pierre Trudeau et ensuite les premiers ministres anglophones des provinces d'inscrire dans la Charte canadienne des droits et libertés que partout au pays, tous les Canadiens ont le droit de recevoir leur éducation dans l'une des deux langues officielles du pays.

Trudeau avait promis que le rapatriement de la Constitution et l'inclusion d'une Charte de droits et libertés n'allaient pas changer l'équilibre des pouvoirs entre le fédéral et les provinces. Voilà pourquoi il ne voulait pas toucher à l'éducation.

Ainsi, vers la fin de mes travaux avec les provinces et les comités parlementaires, alors que je faisais rapport de mes progrès au premier ministre, il m'a félicité du travail accompli. Néanmoins, je lui ai dit alors que je regrettais de ne pas avoir réussi à le persuader d'inscrire dans la Charte des droits et libertés le droit à l'éducation dans les deux langues officielles.

Je lui ai expliqué qu'en 1907, les Boisvert qui forment la branche maternelle de ma famille avaient quitté le Québec pour aller briser la terre à Saint-Paul en Alberta, et qu'une majorité d'entre eux avaient effectivement perdu leur langue parce qu'il n'y avait pas d'école française dans cette province. Alors qu'une occasion unique de corriger cette situation s'était présentée, j'avais failli à la tâche. Après un long moment de silence, il m'a dit «Jean, fais-le!» et je lui ai répondu «Merci, Pierre». Quel moment exceptionnel, inoubliable et déterminant pour l'avenir des francophones et de notre pays!

44

Magistrature : vive le modèle canadien !

HIER SOIR, 14 DÉCEMBRE 2017, UN MILLIER D'ADMIRATEURS, dont la gouverneure générale, le premier ministre et plusieurs de leurs prédécesseurs, des ministres, juges, avocats et autres citoyens éminents, se pressaient au Centre Shaw à Ottawa pour rendre hommage à la juge en chef de la Cour suprême du Canada Beverley McLachlin, qui prenait sa retraite après avoir servi 18 ans à ce poste d'importance cruciale pour le bon fonctionnement des institutions canadiennes et de notre démocratie.

Ce fut une soirée témoignage magnifique pour une femme hors du commun, née dans une petite ville d'Alberta, qui a monté un à un tous les échelons de la société canadienne pour devenir la première femme à atteindre le plus haut niveau de la magistrature grâce à son intelligence, son travail, sa ténacité, son charme et sa fierté d'être Canadienne. Mais au-delà de toutes ses qualités, c'est la finesse et la sensibilité de son jugement qui ont inspiré confiance aux Canadiens et l'ont naturellement menée au sommet.

Pour ce personnage unique, parfaitement bilingue, épouse d'un vrai gentleman, les hommages sont venus de partout au Canada et exceptionnellement de juges en chef de dizaines de pays de tous les continents.

Bien sûr, je ressentais une fierté particulière, car lorsque j'étais ministre de la Justice, c'est moi qui l'ai nommée à la Cour suprême de la Colombie-Britannique, en 1981. Et au tournant du troisième millénaire, en 2000, cette fois en ma qualité de premier ministre, j'ai eu le grand privilège d'en faire la première femme juge en chef de la Cour suprême du Canada. J'aime y voir un des signes annonciateurs de la montée, peut-être lente pour certains mais inexorable, des femmes aux postes de commande de notre société. En 1989, mon prédécesseur Brian Mulroney avait nommé Beverley McLachlin à la Cour suprême du Canada, en faisant ainsi la deuxième femme à être élevée à cette cour. La première à y accéder fut Bertha Wilson, que le premier ministre Pierre Elliott Trudeau a nommée en 1982 sur ma recommandation à titre de ministre de la Justice.

Nous étions là en ce soir de décembre 2017, Brian Mulroney le conservateur et moi le libéral, heureux d'être présents à cette célébration, ni l'un ni l'autre ne sachant si Beverley McLachlin avait jamais exprimé dans sa vie des préférences politiques. Quel contraste avec ce qui se passe chez nos voisins du Sud, où la nomination d'un juge à la Cour suprême fait l'objet d'un débat partisan à n'en plus finir sur la vie personnelle, les antécédents familiaux, d'affaires, d'études, d'opinions et de partis pris possibles, alors que les juges sont nommés pour interpréter les lois passées par les législateurs du pays et de chacun des États américains.

Ici, au Canada, nous avons le privilège d'avoir la magistrature la moins politisée que je connaisse. Tous ceux qui aspirent à devenir juge voient leur compétence examinée par des fonctionnaires spécialisés en la matière, puis tamisée par le barreau de la province et le barreau canadien, avec la participation des juges en chef des cours concernées, et très souvent les procureurs généraux des provinces ont aussi leur mot à dire.

À partir d'une liste approuvée, le ministre de la Justice recommande la nomination au Cabinet et au premier ministre. Dans un système comme celui-là, à la fin du processus, c'est la réputation du ministre de la Justice et celle du gouvernement qui sont en jeu. Si une nomination s'avère désastreuse, c'est le ministre de la Justice et le premier ministre qui en sont tenus pour responsables. Les corridors des palais de justice, remplis d'avocats qui se côtoient tous les jours, deviennent rapidement le tribunal populaire de la décision, et si les nominations sont de mauvaise qualité, la réputation du ministre de la Justice et celle du gouvernement en prennent un coup. D'où la nécessité d'être vigilant.

Comme premier ministre et ministre ayant pratiqué la profession d'avocat avant d'entrer en politique, j'ai eu l'occasion de participer à la nomination de centaines de juges à la Cour suprême, à la Cour fédérale et aux cours supérieures des provinces sans jamais avoir fait l'objet de mauvais commentaires personnels à cet égard. Bien sûr, j'ai souvent été sollicité par des amis, des partisans et autres aspirants. Bien sûr, j'ai appuyé bien des candidatures, mais j'ai également refusé d'en appuyer d'autres que je considérais comme tout simplement inaptes. Je prenais très au sérieux ce devoir de sélection, car je connaissais la qualité exceptionnelle de notre système judiciaire et savais que pour qu'une société fonctionne bien, il faut un système de droit stable, indépendant, professionnel et surtout respecté par l'opinion publique. En un mot, un système auquel les citoyens font confiance, et c'est précisément ce que nous avons ici au Canada.

Lors de la célébration de celle qui a marqué l'histoire de la magistrature canadienne, la très respectée Beverly McLachlin, désormais ex-juge en chef de la Cour suprême du Canada, celle-ci se trouvait entourée de deux adversaires politiques : l'ancien premier ministre conservateur Brian Mulroney et l'ancien premier ministre libéral Jean Chrétien, deux avocats du Barreau du Québec, l'un ayant exercé sa profession dans une grande ville, l'autre dans une ville de province. Les deux anciens chefs de gouvernement ont participé à l'ascension d'une juriste née dans une petite ville de l'Ouest canadien jusqu'à la fonction la plus importante de notre système judiciaire. Cette image comporte la forte charge symbolique d'une société qui sait trouver des consensus au-delà des dynamiques partisanes. Ce symbole exprime selon moi l'exceptionnelle qualité des institutions publiques de notre pays. Quand on compare nos institutions à celles de nos voisins du Sud, je n'ai encore une fois aucun mal à proclamer : « Vive le Canada ! »

Post-scriptum : Pour ne pas rompre avec l'ambiance du moment et par magnanimité, j'ai décidé d'ignorer délibérément l'inqualifiable attitude de l'ancien premier ministre Harper à l'égard de la Cour suprême du Canada et particulièrement de

sa juge en chef. Ce n'était rien de moins qu'une rupture absolument inédite avec la tradition de respect que les Canadiens
observent à l'égard de cette institution fondamentale. Appe-
lons tout juste cela un moment d'égarement dans l'histoire de
notre pays…

45

Le Canada fait l'envie du monde

En Espagne, une élection s'est tenue récemment dans la province de Catalogne au milieu d'une crise constitutionnelle. Le groupe des trois partis en faveur de la séparation a dégagé une faible majorité des sièges, mais les partis favorables à l'unité de l'Espagne ont recueilli la majorité des votes et le parti qui a gagné le plus grand nombre de sièges est contre la séparation de la Catalogne. Madrid continue à parler de l'État de droit et répète que, légalement, aucune province ne peut se séparer du pays. Aucun pays de l'Union européenne n'a appuyé les forces séparatistes de Catalogne. Quel chaos ! Une situation combien familière pour un personnage comme moi, qui fus le ministre responsable du référendum de 1980 pour le gouvernement fédéral et le premier ministre du pays pour celui de 1995.

L'affirmation du gouvernement espagnol de l'indivisibilité du pays n'a rien de révolutionnaire, au contraire. Par exemple, la Constitution de la France et celle des États-Unis l'affirment également. D'ailleurs, les Américains ont fait une guerre pour empêcher la sécession du sud des États-Unis. De plus, le droit international affirme que la proclamation unilatérale d'indépendance d'une province ne peut se faire que lorsque cette province est une colonie ou que les droits fondamentaux et les droits de la personne y sont bafoués d'une façon systématique. Ce n'est certainement pas le cas ni en Catalogne, ni au Québec, ni en Écosse.

C'est d'ailleurs ce que la Cour suprême du Canada a reconnu en 1998 lors du renvoi relatif à la sécession du Québec où elle devait décider si une province possède un droit unilatéral de se séparer du Canada à la suite d'un référendum. En 1980, lors d'une session du cabinet de Pierre Elliott Trudeau, la discussion sur l'attitude que le gouvernement fédéral devait adopter dans l'éventualité d'un référendum sur la séparation au Québec avait été extrêmement animée, fascinante et indéniablement historique.

D'un côté, ceux qui estimaient que le Canada était indivisible, puisque les Pères de la Confédération n'avaient pas anticipé cette possibilité et que lorsque le premier ministre de la Nouvelle-Écosse Joseph Howe avait menacé de retirer sa province du Canada en 1869, personne ne l'avait vraiment pris au sérieux. Ceux qui étaient contre la séparation invoquaient qu'en droit international le Québec ne remplissait pas les conditions légales pour une proclamation unilatérale d'indépendance. En somme, ils proclamaient que le Canada était indivisible et qu'il fallait tout simplement s'y faire et admettre qu'un Québec indépendant ne pouvait être envisagé. Telle était la position de ceux qui argumentaient l'impossibilité de la séparation et que j'appellerais les «légalistes».

De l'autre côté, ceux que j'appellerais les «démocrates» invoquaient que le Canada était le rassemblement volontaire d'anciennes colonies anglaises qui s'étaient unies: d'abord le Bas et le Haut-Canada, la Nouvelle-Écosse et le Nouveau-Brunswick, puis l'Île-du-Prince-Édouard, ensuite la Colombie-Britannique et finalement Terre-Neuve, qui s'est également jointe de plein gré à la Confédération près de 100 ans plus tard. Selon cette perspective, comme les provinces s'étaient unies volontairement au Canada, elles pouvaient aussi décider de quitter la fédération selon un processus démocratique. Elles s'étaient jointes au Canada selon certaines conditions préalables. Elles pouvaient donc également en sortir à certaines conditions et selon une démarche démocratique.

Je dirais que la majorité des ministres était contre la formule: conditions, référendum et séparation. Le premier ministre Trudeau trancha le virulent débat en faveur des « démocrates »; c'est-à-dire qu'il permettait un référendum au Québec, en exprimant sa conviction que la majorité des Québécois voteraient en faveur du lien canadien. Il n'avait pas prévu que le gouvernement du Parti québécois poserait des questions ambiguës; que les mots séparation ou séparatiste seraient remplacés par de nouveaux mots, indépendantiste et souverainiste, mots que le dictionnaire de la langue française *Le Petit Robert* n'a pas reconnus avant 1969 et 1976 respectivement. D'ailleurs, la première fois que le mot indépendantiste est apparu dans *Le Petit Robert*, en 1969, sa définition en était «les séparatistes du Québec».

Avec le recul, je réalise que la tenue d'un référendum n'est pas sans conséquence. La Catalogne perd des douzaines d'entreprises qui vont s'établir ailleurs. Ce fut la même chose au Québec après l'élection du Parti québécois en 1976, et l'une de mes plus grandes frustrations politiques en 1978, car j'étais alors le ministre des Finances du Canada. Montréal, qui était dans les années 1960 la plus importante métropole du Canada, a perdu son rôle au profit de Toronto. Peut-être que les gens d'affaires de Bay Street devraient ériger un monument pour remercier le Parti québécois. Un des souvenirs les plus pénibles de ma carrière est d'avoir invité le président de la Sunlife afin de le persuader de ne pas déménager son siège social de Montréal à Toronto. Il avait déjà quitté le Québec avec sa famille et Sunlife allait faire de même, point final. J'ai eu beau lui dire que si sa compagnie existait encore, c'est parce que le gouvernement canadien avait passé une législation pour empêcher la prise de contrôle de sa compagnie d'assurances par une plus importante de New York, rien à faire. Je lui ai fait rencontrer le premier ministre Trudeau, sans succès. Je n'avais jamais rencontré autant de suffisance, d'arrogance et d'intransigeance de ma vie. Et, fait rarissime, l'étroitesse de vue de cet homme a vraiment réussi à me faire sortir de mes gonds. Le gouvernement fédéral avait sauvé sa compagnie, mais lui n'allait pas lever le petit doigt pour nous aider à sauver le pays.

Le plus souvent, ceux qui votent pour la séparation sont guidés par le cœur et l'émotion et ceux qui sont contre sont guidés par la raison. D'où la difficulté pour les partisans de l'unité nationale de monter aux tribunes. Il est plus facile de parler des 30 minutes de la bataille des plaines d'Abraham de 1759 et de pleurer la défaite de Montcalm que d'expliquer que nous ne sommes en fait devenus des sujets britanniques qu'en

1763 à la signature du Traité de Paris. C'est seulement après une guerre qui aura duré sept ans que le roi Louis XV a notamment dû céder la Nouvelle-France, dont le territoire s'étendait de Québec à la Louisiane, à la suite de la défaite globale en Europe de la France aux mains de la Grande-Bretagne.

Mais le plus difficile dans un référendum, c'est que l'émotion atteint un tel niveau que des familles se brisent, des amitiés s'éteignent, des villages se divisent et souvent même des gens bien et habituellement posés deviennent agressifs, hargneux, détestables et parfois carrément insultants. J'en ai bien sûr été victime à plusieurs reprises, et j'ai moi-même répondu sur le même ton à quelques occasions. J'ai eu des échanges peu civilisés avec René Lévesque et quelques autres que je n'ose pas mettre par écrit. Le niveau d'émotion devient si élevé que vous avez l'impression de briser le rêve le plus cher d'adultes raisonnables. J'ai eu par exemple dans ma circonscription un député indépendantiste avec lequel j'avais d'excellentes relations personnelles. J'avais eu l'occasion de travailler comme étudiant avec son père à l'usine de papier et j'en avais gardé un très bon souvenir. Un jour, j'ai demandé à mon député provincial comment allait son père. Il m'a répondu qu'il était décédé depuis peu de temps et que, sur son lit de mort, il lui avait confié qu'il mourrait malheureux parce que le Québec n'était pas devenu un pays indépendant. Alors vraiment, briser le rêve d'un enfant, c'est déjà quelque chose, mais briser celui d'un adulte, c'est infiniment plus pénible… Tout cela est bien regrettable.

Le référendum est un instrument démocratique extrêmement difficile à manipuler et qui produit rarement des solutions appropriées. Les questions sont souvent mal posées ou délibérément trompeuses. Qui se souvient des deux questions, ou même d'une seule, posées aux référendums de 1980 et 1995 ? Enfin, le droit international ne permet pas la proclamation unilatérale de l'indépendance. Les Anglais ont voté « oui » au Brexit pour les mauvaises raisons et sont maintenant coincés dans une position aux conséquences beaucoup plus lourdes et imprévisibles que celles anticipées à l'époque de la consultation. Les Catalans ont voté « oui » dans un référendum boycotté par la majorité et ne sont certainement pas au bout de leurs peines. De mon côté, je pourrais écrire de très longs chapitres sur les deux référendums, durant lesquels j'ai eu à jouer un rôle important. Tout ce que j'implore de mes successeurs, mes compatriotes du Québec et du reste du Canada, c'est pour l'amour du ciel de ne pas retourner dans ces sentiers qui nous montent les uns contre les autres au-delà de tout ce que nous avons en commun. Comparativement à ceux des autres pays, les problèmes du Canada sont bien relatifs. Nous sommes extrêmement privilégiés et, dans presque tous les domaines, nous faisons l'envie du monde. Même s'il fait 30 degrés sous zéro en ce dernier jour de 2017, le Canada est encore le « plus meilleur pays au monde ». :o) Voilà !

46

Pot-pourri

Maintenant, je couche sur papier des anecdotes que je raconte parfois et qui sont des souvenirs tout à fait hétéroclites, mais qui font partie de mes vieux souvenirs et que je veux bien partager avec vous. Ainsi, Jean Marchand, au moment de quitter le Cabinet, avait accepté l'invitation de son ami Pierre Elliott Trudeau à siéger au Sénat. Pour pouvoir siéger au Québec, chaque sénateur doit posséder une propriété d'une valeur minimale de 4000 $ dans la circonscription qu'il représente. Cette exigence n'existe pas dans les autres provinces, preuve que le Québec est bien une société distincte. Or, Jean part un jour à la recherche d'un terrain à acquérir dans sa circonscription et s'arrête chez un cultivateur qui offrait justement un terrain pour la somme de 2500 $. Alors, Marchand demande au vendeur : « Accepteriez-vous 4000 $ pour le terrain ? » La proposition fut acceptée et Jean s'est qualifié pour devenir sénateur. Ce montant de 4000 $ n'a pas changé depuis 1867.

* * *

Jean Lapierre a été élu député en 1979, quelques jours à peine après avoir atteint l'âge de 23 ans, et lorsqu'il a quitté une première fois le Parlement fédéral en 1992, à l'âge de 36 ans et après seulement 13 ans de service, il a eu droit à une pension à vie très généreuse du point de vue du commun des mortels. Le populiste Parti réformiste, de Preston Manning, s'est servi de cette situation rarissime durant la campagne électorale de 1993 pour blâmer les conservateurs de Brian Mulroney et promettre qu'il abolirait le régime de pension des députés. Pour illustrer cette position, Deborah Grey, très bonne députée élue en Alberta, est montée sur la colline du Parlement avec un porc dans ses bras à l'occasion de l'étude du projet de loi que mon gouvernement avait introduit pour corriger la situation.

L'après-midi du vote, tous les députés réformistes avaient attaché à leur boutonnière un macaron illustrant un porc marqué d'un grand X. Lorsque les députés du gouvernement ont commencé à se lever les uns après les autres pour voter, les réformistes ont commencé à imiter ce qui se voulait le bruit d'un cochon en colère. C'est alors que le jovial ministre de la Défense nationale Doug Young leur a crié : « Je ne savais pas que vous étiez bilingues. » Comme peu de réformistes parlaient la langue de Molière, ce fut l'éclat de rire général. Aline, qui était à la maison, surveillant le tout à la télévision, m'a dit qu'elle m'avait entendu rire plus fort que tous les autres. Comme chaque fois que nous votions sur des augmentations de salaire, certains députés votaient contre et acceptaient par la suite avec plaisir l'augmentation. Cette fois-ci, pour piéger les réformistes, nous avions inséré une disposition qui édictait que si à l'avenir un député voulait recevoir la pension même s'il avait voté contre, il devrait aller signer une demande officielle chez le greffier de la Chambre des communes. Tous les réformistes l'ont fait, sauf leur chef, Preston Manning. Des gens de conviction… vraiment?

* * *

Est-ce que mon ami le ministre de l'Agriculture Eugene Whelan était vraiment dans le trouble quand j'entendais l'opposition toute scandalisée l'accuser de s'être rendu à Miami dans un avion du gouvernement? «Gino», comme nous l'appelions familièrement, s'était alors levé en Chambre, l'air embarrassé et contrit, pour admettre que c'était bien vrai: il avait pris l'avion du gouvernement et s'était en effet rendu à Miami en utilisant un transport payé par les contribuables. Mais l'objectif de son voyage était de rencontrer des cultivateurs canadiens de Miami… Après une longue pause, il a ajouté que les fonctionnaires avaient seulement oublié de mentionner qu'il s'agissait de Miami au Manitoba, et non en Floride… !

* * *

En 2000, peu de temps après être devenu le président de la Russie, Vladimir Poutine a rendu visite à son voisin du Nord, le Canada. À la suite d'un grand dîner dans la magnifique salle de la Galerie nationale, je lui ai proposé de l'accompagner à pied jusqu'au Château Laurier, quelques centaines de mètres plus loin. Chemin faisant, nous sommes entrés à la taverne Earl of Sussex et nous avons bu de la bière avec les clients, très surpris de prendre un verre avec le président russe et le premier ministre canadien. Après cette petite pause, nous avons continué à marcher sur la rue Sussex en direction du Château. À notre arrivée devant l'édifice du ministère du Revenu national, un Russe membre de la délégation a demandé pourquoi à 10 h du matin il y avait plus de 20 prostituées qui faisaient le trottoir, alors qu'il n'y en avait aucune à 10 h du soir. On lui a répondu qu'ici le trottoir servait de fumoir, puisque c'était interdit de fumer à l'intérieur, et non pour quelque commerce que ce soit!

* * *

Le lendemain de sa nomination au Sénat, Raymond Setlakwe s'est rendu avec son épouse, Yvette, chez le dentiste. Pendant que son épouse recevait les soins professionnels du chirurgien, notre ami le nouveau sénateur Raymond, resté seul dans la salle d'attente, s'est soudainement endormi sur sa chaise. Lorsque le traitement fut terminé, le docteur et Yvette l'ont surpris dans son sommeil. Le dentiste a dit à Yvette: «Votre mari travaille trop fort et je vois qu'il est bien fatigué.» Yvette, qui a un très bon sens de l'humour, lui a répondu: «Ce n'est pas la fatigue, docteur, c'est qu'il s'entraîne pour son nouveau travail au Sénat!»

* * *

En 1978, mon neveu l'ambassadeur Raymond Chrétien, alors âgé de seulement 36 ans, a été nommé ambassadeur au Zaïre, maintenant appelé la République démocratique du Congo ou RDC et dont le très controversé président de l'époque s'appelait Mobutu Sese Seko. J'ai donc commencé à prendre un intérêt particulier à suivre l'évolution politique de

1. Avec Bill Gates, fondateur de Microsoft, et John Manley, ministre de l'Industrie.

2. Nelson Mandela, que j'ai fait citoyen honoraire du Canada en 2001.

3. Dans mon bureau, avec Nelson Mandela,
   qui porte pour l'occasion la ceinture fléchée.

4. Mitchell Sharp (1911-2004) a été pour moi un véritable mentor.

5. Vladimir Poutine, il faut l'admettre, a redonné de la fierté au peuple russe.

6. Je veillais à ce que mon bureau de travail de premier ministre ne soit jamais enseveli sous les documents.

7. Avec l'Aga Khan, dans mon bureau, et non pas sur son île…

8. «Une chicane entre deux ours polaires!», a dit Bill Clinton en nous voyant nous tirailler, Boris Eltsine et moi.

9. Avec le chancelier
   allemand Helmut Kohl et
   le député Jack Anawak,
   au Nunavut, en 1995.

10. L'ALENA, avant l'ère Trump… Main dans la main avec le président du Mexique Vicente Fox et son homologue américain George W. Bush.

11. Mon épouse Aline, mon roc de Gibraltar, et notre ami fidèle, Bill Clinton, à Montréal, en 2017.

12. Portrait de famille au Sommet des Amériques, à Québec, en avril 2001.

14. *Maman*, célèbre sculture de Louise Bourgeois, devant le Musée des Beaux-Arts du Canada, à Ottawa.

13. Le parc national Kluane, au Yukon.
Un héritage dont je suis fier.

15. *Source*, l'œuvre d'art public du sculpteur espagnol Jaume Plensa installée à l'entrée Bonaventure au sud de l'île de Montréal, dans le cadre du 375ᵉ anniversaire de la ville. L'œuvre a été offerte aux Montréalais par André Desmarais et France Chrétien-Desmarais.

17. Ma petite-fille Jacqueline, ma fille France, mon épouse Aline, mon fils Hubert, mon petit-fils Olivier et mon gendre, André Desmarais, au dévoilement de mon portrait officiel, le 25 mai 2010, à Ottawa. Le peintre Christian Nicholson est l'auteur de l'oeuvre.

◀ 16. Au palais Saint James, très fier d'être accompagné par ma petite-fille Jacqueline Desmarais de Croÿ.

18. Dîner en l'honneur du départ à la retraite de la juge en chef de la Cour suprême, Beverley McLachlin, avec le premier ministre Justin Trudeau et l'ex-premier ministre Brian Mulroney, le 14 décembre 2017.

ce pays africain. De passage à New York à l'automne 2001 pour faire un discours à l'Assemblée générale des Nations unies, j'avais demandé à rencontrer le tout nouveau président de la RDC, Joseph Kabila, à peine âgé de 30 ans et qui venait tout juste de remplacer son père, Laurent-Désiré Kabila, assassiné au mois de janvier précédent.

Les bureaucrates avaient organisé la rencontre et quand je suis arrivé pour la réunion, au lieu de voir un président de 30 ans, j'ai plutôt vu un président de mon âge. Ce n'était pas le président Kabila du Congo belge, mais plutôt celui du Congo français, Denis Sassou-Nguesso. Notre fonctionnaire s'était trompé de Congo. J'ai aussitôt réalisé l'erreur, mais j'ai fait comme si de rien n'était. Le président de ce tout petit pays était tout surpris et honoré qu'un membre du G7 demande à le voir. La réunion s'est très bien passée et il en a profité pour me demander de l'aider avec des problèmes de visas, dont un pour un membre de sa famille qui avait besoin de soins médicaux spéciaux.

Jamais le président de la République du Congo (et non de la République démocratique du Congo, confusion compréhensible…) ne s'est rendu compte de l'erreur. Le fonctionnaire qui a commis la bourde voulait mourir et moi aussi, mais plutôt de rire, comme on dit…

* * *

Comme des millions de Canadiens, durant les grands froids de l'hiver, Aline et moi aimions passer quelques jours dans le Sud. Même si j'avais des invitations de députés, de ministres, d'amis, d'hommes d'affaires, je préférais me rendre à la résidence estivale de ma fille et de mon gendre en Floride.

La maison était bâtie en bordure d'un magnifique terrain de golf et tout près de la mer. Souvent, quand Aline et moi pratiquions le golf, notre sport préféré, nous invitions des gardes du corps américains à jouer avec nous.

À la fin de nos vacances, comme la tradition le veut, je leur donnais en souvenir des balles de golf avec une feuille d'érable et ma signature imprimée sur chacune d'elles. Ces balles étaient payées par l'association libérale de ma circonscription pour être remises en souvenir à ceux qui participaient au tournoi de golf annuel et mon personnel récupérait le surplus pour mon utilisation. Or, à un moment donné, nous n'en avions plus. Sans me prévenir, mon bureau a pris l'initiative d'en acheter, et il en a acheté pour 900 $. L'équipe de la commission Gomery a dévoilé l'affaire avant le début des audiences. Quel scandale! Le premier ministre utilisait des balles de golf payées par l'État! En dehors des salles d'audience, le juge Gomery a même dit que cela faisait «très colon» ou «*small town cheap*», comme il l'a déclaré en anglais.

Lorsque je me suis présenté devant la Commission pour témoigner, j'ai décidé de lui renvoyer l'ascenseur en apportant des balles de golf que j'avais reçues en cadeau. Les premières que j'ai sorties de mon porte-document et que j'ai exhibées dans une salle comble devant les caméras de tous les réseaux de télévision canadiens ont été celles que m'avait données le président des États-Unis Bill Clinton. J'en ai pris une dans ma main et, en la montrant au juge, j'ai dit: «Venant de Hope, Arkansas, William Jefferson Clinton, président des États-Unis, "*small town cheap*"? Ensuite, venant de Crawford, Texas, George W. Bush, président des États-Unis, "*small town cheap*"? Puis, venant de Manille, Fidel Ramos, président des

Philippines, "*small town cheap*"?» Et pour finir, j'ai sorti une balle venant du bureau d'avocats Ogilvy Renaud en rappelant qu'il s'agissait du bureau de Brian Mulroney, de Bernard Roy, ancien chef de cabinet de Mulroney et procureur de la Commission, et de la fille du juge Gomery lui-même, mais que ce serait un non-sens, un «oxymoron» de dire «*small town cheap*», puisqu'ils étaient tous trois des citoyens de l'arrondissement très bourgeois de Westmount.

Il faut reconnaître que cette petite démonstration avait déclenché l'hilarité générale à travers le pays et que j'étais plutôt satisfait de ma performance. Je souris encore quand je pense à l'article paru dans le *Globe and Mail* sous la signature de Margaret Wente et qui titrait: «*This Man Has Balls*», expression à double sens dont l'ironie grivoise n'échappa à personne.

* * *

Alors que j'étais étudiant à l'Université Laval de Québec, j'ai participé activement à l'élection provinciale de 1956, et comme jeune avocat à celle de 1960. Parmi le groupe d'orateurs qui appuyaient le député René Hamel, devenu par la suite ministre de la Justice sous Jean Lesage, se trouvait un chef syndicaliste très coloré qui était un immigrant belge. On disait de lui qu'à son arrivée dans le port de Québec, en mettant tout juste le pied sur le quai, il a demandé à ceux qui le recevaient: «Qui forme le gouvernement, ici?» Ce à quoi il avait été répondu: «Pourquoi donc posez-vous cette question, monsieur Vassart?» «Eh bien, parce que je suis contre et que je voudrais savoir contre qui je suis…» John Diefenbaker était le premier ministre conservateur du Canada et Antonio Barrette était le premier ministre du Québec, élu sous la bannière de l'Union nationale. Alors, Vassart était très à l'aise d'appuyer les libéraux, qui étaient dans l'opposition aux deux paliers de gouvernement. D'ailleurs, après que les libéraux de Jean Lesage eurent été élus au Québec en 1960 et ceux de L. B. Pearson au fédéral trois ans plus tard, nous ne l'avons plus revu.

* * *

C'est peu connu, mais Aline a toujours eu un bon sens de l'humour, et le public a pu s'en rendre compte à l'occasion du congrès qui a choisi mon successeur en novembre 2003, peu avant mon retrait de la vie politique. Durant mes 40 années de vie publique, elle a rarement accordé des entrevues aux journalistes. Toutefois, à cette occasion, elle avait accepté l'invitation de Peter Mansbridge, du réseau anglais de Radio-Canada. Au cours de la conversation, Mansbridge lui a fait remarquer qu'on ne l'avait pas souvent vue à la télévision ou dans les nouvelles, mais que par contre son mari parlait souvent d'elle dans ses prestations publiques. Elle a répondu du tac au tac: «Jean, il est comme Colombo, qui parle toujours de sa femme… !» Tout le monde sur le plateau, caméramans inclus, avait éclaté de rire. Mansbridge lui-même riait tellement qu'il a dû faire une pause avant de reprendre la conversation. Aline avait parfois un sens aigu de la répartie.

* * *

Un jour, alors que j'étais premier ministre, je me suis retrouvé à l'Hôtel Shediac à la fin d'une journée épuisante et, alors que je me dirigeais vers ma chambre, des journalistes ont réussi à me coincer pour me poser des questions. Il était tard, j'étais très fatigué et l'un d'eux m'avait interpellé sur un ton particulièrement agressif relativement à ma visite prochaine en Chine avec une question du genre : « Qu'est-ce que vous, un démocrate canadien, allez dire au président du régime autoritaire chinois dans le dossier des droits de la personne ? Est-ce que vous allez le remettre à sa place, ce non-élu, président d'un pays de 1,3 milliard de Chinois ? » Je lui ai alors répondu : « Vous voulez que moi, le premier ministre d'un pays de 35 millions d'habitants, je lui dise comment mener son pays de 1,3 milliard de citoyens, alors qu'il serait tout à fait inacceptable que j'ose dire au premier ministre de la Saskatchewan, par exemple, comment mener son gouvernement ? Le premier ministre du Canada ne doit pas s'immiscer dans les affaires des provinces, mais pour la Chine, ça va ! » Pour les Chinois, cette déclaration devint « la déclaration de Shediac » et, apparemment, ils s'en souviennent encore.

* * *

Début mars 2018, je suis allé aux funérailles de Pierre Garceau, un de mes meilleurs amis et ancien confrère de classe au collège et à l'université qui après quelques années de pratique du droit à Trois-Rivières fut l'un des premiers représentants de l'Agence canadienne de développement international (ACDI) en Afrique, puis deux fois ambassadeur et commissaire à la Magistrature fédérale. Sa femme, Angèle, m'a invité à dire quelques mots à l'église et a insisté pour que ce soit fait avec humour. Alors, j'ai raconté que lorsque Pierre et moi sommes arrivés à la Faculté de droit de l'Université Laval, nous avons été vexés de réaliser que les confrères qui portaient allégeance à l'Union nationale avaient reçu gratuitement les Statuts révisés du Québec, alors qu'à nous, considérés comme libéraux, on demandait 5 $. Outrés, nous avions appelé la secrétaire du premier ministre Duplessis, l'incontournable Auréa Cloutier, et elle nous avait organisé une rencontre avec son patron. Bon joueur, il nous avait reçus, espérant probablement s'amuser un peu aux dépens de ces deux jeunes étudiants peu timides qui de plus étaient membres de familles connues et très libérales de sa région de la Mauricie.

Nous lui avions dit qu'il était injuste de nous faire payer 5 $ chacun ce qui était gratuit pour d'autres alors que nous avions en principe les mêmes droits. Il nous avait répondu qu'il ne s'agissait pas de droit, mais de privilège. Qu'être étudiant à l'université, c'était un privilège et non un droit. Que ceux qui avaient eu le privilège de recevoir les Statuts révisés sans frais étaient en fait privilégiés d'avoir la foi (… en l'Union nationale). Après un long entretien sur une société de droit versus une société de privilège, entrecoupé d'humour et d'anecdotes politiques, il nous avait finalement dit : «Je vais vous en donner deux exemplaires pour le prix d'un.» Nous avions fait perdre une heure à notre premier ministre pour économiser 2,50 $ chacun. Pour en arriver là, il avait fallu deux jeunes culottés et un premier ministre avec un indéniable sens de l'humour.

Comme Pierre aimait beaucoup s'amuser, il a voulu nous quitter à sa façon bien à lui. Ainsi, alors que sa dépouille mortelle quittait l'église, ses petits-fils portaient son cercueil sur l'air inattendu du célèbre tango *Por una Cabeza* de Carlos Gardel. Encore une fois, le coloré Pierre aura eu son dernier mot avec le sourire.

47

La mésaventure de lord Conrad Black

Dans son livre *Letters to Limbo*, l'ancien premier ministre Robert Laird Borden explique les circonstances dans lesquelles il a laissé voter la résolution du député conservateur Nickle qui bannissait l'octroi de titres de noblesse venant de Londres. Borden affirmait qu'en 1919 le Canada était une nation indépendante au statut égal à celui de la Grande-Bretagne, et qu'il ne devait plus se satisfaire des miettes qui tombent de la table du gouvernement britannique. Quand j'ai lu cette histoire maintenant centenaire d'un premier ministre conservateur, je n'ai pu m'empêcher de sourire en repensant à la controverse très médiatisée qui avait amené Conrad Black à choisir d'abandonner sa citoyenneté canadienne pour devenir un lord britannique.

En route pour le Sommet du G8 qui s'est tenu en 1999 à Cologne, en Allemagne, j'ai fait une visite officielle à Vienne, en Autriche. Soudainement, j'ai reçu un appel téléphonique de nature apparemment très urgente du magnat de la presse Conrad Black. Il faisait face, me disait-il, à un problème très urgent qui nécessitait selon lui mon intervention immédiate. Comme Black avait acquis le contrôle du Telegraph Group de Londres, la tradition du parti conservateur anglais voulait que le chef du parti le recommande au premier ministre Tony Blair pour l'octroi d'un siège à la Chambre des lords. Respectant la tradition, le PM Tony Blair avait donc recommandé à la reine de procéder à la nomination de lord Conrad Black. Lorsque cette recommandation a été reçue par les services de la reine, lesquels ont le droit de nommer des citoyens à la Chambre haute du Parlement britannique, ceux-ci furent tout à fait surpris de voir un Canadien sur la liste des futurs lords. En effet, au cours des années précédentes, certains membres de la famille Weston avaient refusé cet honneur parce qu'ils ne voulaient pas perdre leur citoyenneté canadienne, comme ce fut le cas pour lord Roy Herbert Thompson en 1964. Cette situation inattendue avait obligé Blair à informer Black qu'il ne pouvait procéder avant que l'imbroglio ne soit résolu.

Alors, Black était au désespoir, car, m'a-t-il dit, l'annonce de sa nomination à la Chambre des lords britannique devait être rendue publique le lendemain. Et il avait organisé une énorme réception de célébration pour le samedi suivant; les invitations avaient été envoyées et le champagne était déjà au frais. Je sentais mon interlocuteur complètement désemparé, me promettant ciel et terre si je dénouais l'impasse. Pauvre de moi, je n'avais aucune idée de ces règles qui datent de 1919. J'ai donc demandé à Black de me donner quelques heures pour clarifier la situation. Le Conseil privé m'a informé qu'il existait des règles précises à ce sujet, qui avaient d'ailleurs été renouvelées par le gouvernement Mulroney. Devant cette réalité, Blair a retiré le nom de Black de la liste et promis que le tout serait remis pour la fin de l'année. Black était furieux et moi, très embarrassé, car je le connaissais depuis longtemps. Sans être proches, nos rapports avaient été généralement civilisés, mais, personnellement, qu'il devienne lord ou pas me laissait tout à fait indifférent.

Alors, pour étudier la question, j'ai demandé au vice-premier ministre Herb Gray de présider un comité spécial du Cabinet dont faisait partie le ministre des Affaires étrangères Lloyd Axworthy. À la lecture des mémoires du premier ministre Pearson, j'ai appris qu'il avait eu une discussion avec son homologue de Grande-Bretagne au sujet de la nomination du président du *Globe and Mail* à la Chambre des lords britannique. Monsieur Roy Thomson avait donc dû renoncer à sa citoyenneté canadienne pour devenir lord Roy Thomson, baron de Fleet. Comme ce titre est héréditaire, son fils Kenneth et son petit-fils David, qui lui ont succédé à la tête de l'empire Thomson, ont refusé de l'utiliser au Canada et de prendre leur place à la Chambre des lords britannique pour ne pas perdre leur citoyenneté canadienne. Le rapport du comité présidé par Herb Gray m'a recommandé de ne pas changer les règles établies en 1919 par le gouvernement conservateur de Robert L. Borden, lesquelles ne permettaient plus l'existence de deux classes de citoyens au Canada. Ainsi, Conrad Black aura préféré les miettes de la table britannique à la citoyenneté canadienne et est devenu lord Black, baron de Crossharbour.

Quand a été rendue publique la décision du très puissant Conrad Black d'abandonner sa citoyenneté canadienne, comme l'avait fait avant lui Roy Thompson, les attaques de ses amis conservateurs à mon égard furent des plus virulentes. Le *Globe and Mail* et le *National Post* m'ont traité de dictateur et d'homme qui méprisait la culture anglo-saxonne. La classe politique conservatrice ne s'est pas gênée non plus. Le pire, c'est que Black a décidé de me poursuivre – à titre de premier ministre – devant les tribunaux, même si la recommandation venait d'un comité du Cabinet presque uniquement anglophone. Aline était devenue très nerveuse, car elle craignait que si un homme aussi riche gagnait sa cause, nous nous retrouvions sur la paille. J'ai dit à Aline : « Ne t'en fais pas. C'est une action frivole d'un homme désespéré. » Souvent, des hommes comme Conrad Black essaient d'intimider avec les poursuites judiciaires. On me dit que son ami Donald Trump avait la même habitude, lui qui avait été pressenti pour témoigner pour la défense de Black, lors de son procès, à Chicago – il ne l'a finalement pas fait. Qui s'assemble se ressemble…

Pour moi, le tout s'est terminé plutôt bien, puisque les cours de l'Ontario ont rejeté à l'unanimité (4-0) les demandes de Black, et je n'ai pas été obligé de vendre ma maison et mes meubles pour payer une poursuite de cette envergure. Par contre, les conséquences de la décision de lord Black, baron de Crossharbour, ont été pour lui on ne peut plus désastreuses. Lorsque quelques années plus tard la justice américaine l'a traîné devant les tribunaux et qu'il a été reconnu coupable de fraude avec deux Canadiens et un Américain, ils ont tous été condamnés à six ans et demi d'incarcération. Black et les deux Canadiens ont demandé à purger leur peine au Canada, ce qui fut accordé aux Canadiens, mais pas à Black, car il n'avait plus la nationalité canadienne. Ce fut en effet possible pour les Canadiens en vertu d'un traité avec les États-Unis qui n'a pas d'équivalent avec la Grande-Bretagne. Les Canadiens ont ainsi pu bénéficier d'une révision de leur peine et d'un traitement plus clément que s'ils étaient restés aux États-Unis. Une fois rentrés au Canada, ils sont sortis de prison après seulement quelques mois, alors que Conrad Black a dû mariner plusieurs années en prison aux États-Unis. Je ne sais pas s'il réalise l'erreur qu'il a commise en préférant la perruque et les miettes de la table britannique à la citoyenneté canadienne, mais il a eu des années sans neige et beaucoup d'oranges fraîches pour y réfléchir derrière les barreaux en Floride.

48

Des décisions importantes peu connues

On m'a souvent demandé quelles étaient les décisions les plus importantes que j'aie dû prendre durant ma longue carrière, ce à quoi il m'a toujours été difficile de répondre. Certaines sont bien connues parce que controversées ; je pense à la décision de ne pas rejoindre la coalition qui s'est lancée dans une guerre en Irak injustifiée selon moi ; ou encore à la Loi sur la clarté référendaire pour s'assurer que plus jamais un référendum n'est tenu au pays sans règles d'engagement claires pour toutes les parties. Assainir nos finances publiques et les ramener dans la zone de l'équilibre budgétaire fut aussi une décision déterminante qui a exigé beaucoup de discipline et d'efforts de la part du gouvernement et de tous les Canadiens. D'autres décisions ont été aussi importantes à mon avis, mais elles sont peu ou pas connues. Laissez-moi vous en raconter quelques-unes.

En septembre 1976, je suis devenu le nouveau ministre de l'Industrie et du Commerce du Canada. Immédiatement, comme je le faisais toujours, j'avais demandé aux fonctionnaires du ministère de m'indiquer quels étaient les trois problèmes les plus urgents. Ils m'avaient informé que Canadair disposait d'une option pour acquérir du fabricant aéronautique Lear, du Texas, les plans pour fabriquer le Lear Star, un avion privé pour les gens d'affaires. Comme l'option expirait à la fin du mois, c'était urgent.

Les conseillers du ministère étaient divisés : certains croyaient que c'était une bonne idée d'acquérir ces plans, mais d'autres pensaient le contraire. Alors, j'ai décidé de téléphoner à Bill Lear et je lui ai demandé de me donner trois bonnes raisons pour Canadair d'acquérir son projet. « D'abord, m'a-t-il répondu, il y a déjà sur le marché le Lear Jet, qui se vend très bien. Le problème, c'est qu'il est maintenant trop petit pour sa clientèle naturelle, les riches. En effet, l'avion privé est devenu le château des riches et, lorsque tu es riche, tu n'aimes pas te pencher pour entrer dans ton château. Alors, je pense qu'il faut une hauteur libre d'au moins six pieds du plancher au plafond, ce qui exige que le corps de l'avion soit plus gros, augmentant ainsi la taille du réservoir de pétrole. Résultat, le rayon d'action de l'avion passe de 2500 à 5000 milles, permettant ainsi de voyager sans escale de Los Angeles à New York ou de New York à Londres. De plus, il faut trouver les ailes appropriées, et celles qui supporteront un corps d'avion plus gros seront du type "*critical wing*", déjà utilisées pour des avions militaires aux États-Unis. Lorsque vous avez le corps et les ailes de l'avion, il vous faut donc des moteurs, et je recommande les Lacominc, qui sont déjà sur le marché. Il suffisait de penser à assembler ces trois éléments ; ce n'est pas plus compliqué que ça ! »

Il avait poursuivi la conversation en me demandant d'ouvrir le magazine *Time* à la page 40. C'est ce que j'ai fait, et il m'a dit ensuite : « Vous voyez, Ford annonce un nouveau modèle d'auto et, pour illustrer la modernité de son nouveau design, ils ont photographié leur nouvelle voiture à côté d'un Lear Jet que j'ai dessiné il y a 25 ans. » Le tout était clair, court, sans prétention et donc convaincant.

Entre-temps, le gouvernement fédéral avait repris Canadair de General Dynamic, qui voulait fermer l'entreprise parce que le gouvernement américain lui avait interdit de réparer des avions militaires américains au Canada. Ainsi, l'entreprise n'avait plus que la fabrication des avions pour éteindre les feux de forêt en commande, ce qui n'était pas suffisant pour en assurer la rentabilité. Il y avait de la pression sur le gouvernement fédéral pour agir afin d'éviter la fermeture de Canadair. J'ai alors décidé d'acheter l'option du Lear Star, qui est devenu le Challenger. Ce faisant, nous avons sauvé Canadair et, au lieu de disparaître comme l'avait décidé General Dynamic, Canadair est devenu une division de Bombardier Aéronautique. Le secteur de l'aéronautique est ainsi devenu le plus gros employeur industriel au Canada avec plus de 50 000 emplois.

Ce succès m'a valu la plus belle reconnaissance du Syndicat des employés de Bombardier, qui m'a nommé président honoraire. De plus, durant la campagne électorale de 1993, alors que je disputais ma première élection comme chef du Parti libéral, les employés m'ont reçu triomphalement à l'une des usines de Bombardier dans l'arrondissement de Saint-Laurent. Ce fut un très bon coup de pouce de la part de ces ouvriers au début de la campagne électorale qui m'a mené au poste de premier ministre du Canada. Je leur dis encore une fois merci du fond du cœur.

* * *

Au cours des années 1972 et 1973, alors que la crise mondiale de l'énergie s'alourdissait, plusieurs participants au consortium pétrolier Syncrude Canada commençaient à quitter le bateau, dont Atlantic Richfield et Shell Global. Ils trouvaient notamment que le gouvernement de l'Alberta était trop gourmand en réclamant l'équivalent de droits d'extraction de 50 %. Quand Shell Canada commença aussi à hésiter, le gouvernement de Peter Lougheed demanda l'aide du gouvernement fédéral pour empêcher l'arrêt des travaux de ce gigantesque projet. Une réunion fut convoquée à Winnipeg, à laquelle participèrent le premier ministre Lougheed et plusieurs de ses ministres albertains, Bill Davis, premier ministre de l'Ontario, Donald McDonald, ministre fédéral de l'Énergie, et moi-même, président du Conseil du Trésor du Canada.

La conférence a mal commencé quand Shell a indiqué d'emblée qu'elle ne participerait plus et que la position de mon ami Don McDonald ne plaisait vraiment pas à Peter Lougheed. Le premier ministre Lougheed était un homme intelligent aux idées claires, qu'il exprimait avec fermeté, et le ministre fédéral de l'Énergie était du même genre, ce qui créait bien sûr beaucoup de flammèches. Après deux heures, la conférence a dû être ajournée dans la mésentente, et pendant plus de deux heures ensuite, je me suis promené entre la suite de l'Alberta, celle de Bill Davis, de l'Ontario, et celle où se trouvait Don McDonald. À la fin de la journée, toutes les parties avaient dégagé les compromis nécessaires et le projet charnière Syncrude fut rescapé.

Syncrude a été le premier projet d'extraction de pétrole des sables bitumineux d'Alberta, et ce fut le commencement de la grande prospérité des 40 dernières années pour cette province. Lorsque j'ai quitté la vie politique en 2004, j'ai été invité à me joindre à temps partiel au grand bureau d'avocats Bennett Jones de Calgary, et lorsque je m'y suis rendu pour la première fois, j'ai été accueilli par le conseiller principal du bureau, Peter Lougheed lui-même. Il a dit alors devant un groupe de journalistes que s'il y avait eu un accord ce fameux 3 février 1975, c'était en grande partie grâce à mes activités dans les corridors de l'hôtel où nous nous trouvions. J'ai trouvé les propos de Peter un peu trop élogieux, mais j'étais évidemment content d'entendre le premier ministre albertain le plus impressionnant que j'aie connu reconnaître le rôle du gouvernement fédéral dans le développement du secteur énergétique de sa province.

Malheureusement, il n'y a pas beaucoup de citoyens de cette riche province de l'Ouest qui se rappellent, ou veulent se rappeler, ce que les trésoreries des gouvernements fédéral et de l'Ontario ont fait pour rescaper leur industrie pétrolière dans les difficiles années 1970, en plein cœur d'une crise mondiale de l'énergie.

Quand j'ai annoncé en 2002 que le Canada allait ratifier le protocole de Kyoto, ceux qui s'y opposaient m'avaient accusé d'avoir pris la décision seul, ce qui était rigoureusement vrai. Ils avaient donc entièrement raison. Le caucus était en grande majorité favorable, mais des députés et ministres pro-affaires s'y opposaient en invoquant qu'il serait impossible pour le

Canada d'atteindre les cibles fixées par le protocole. Je croyais d'ailleurs moi-même qu'il serait très difficile d'y parvenir. Pendant les 20 heures d'avion nécessaires pour me rendre en Afrique du Sud à une conférence internationale où le sujet serait abordé, j'avais eu beaucoup de temps pour y réfléchir. Et je demeurais très préoccupé par l'incapacité du Canada d'établir une position claire sur un sujet aussi fondamental pour l'avenir de l'humanité. Je me disais que c'était pratiquement impossible pour le Canada d'atteindre, disons, l'objectif de 10/10 et qu'au mieux nous pourrions atteindre 8. Par contre, si je disais oui à la ratification du protocole et que nous arrivions à atteindre, disons, 8/10, c'était infiniment mieux que zéro. Ce ne serait pas parfait, mais ne rien faire du tout m'apparaissait complètement irresponsable. Alors, quand j'ai pris la parole le lendemain, j'ai annoncé que nous allions ratifier Kyoto.

Aussitôt rentré au pays, je me suis rendu en Alberta pour expliquer à l'industrie du pétrole qu'il serait mieux de s'ajuster à la réalité progressivement. Grâce à l'aide de Murray Edwards, le Canadien superstar de cette industrie en Alberta, et du secrétaire du Cabinet fédéral Alex Himelfarb, nous avons pu conclure une entente avec l'industrie. Évidemment, les gens d'affaires auraient préféré maintenir le statu quo avec moi et persuader éventuellement Paul Martin et Stephen Harper de reculer plus tard, ce qu'ils ont réussi. Mais heureusement, quand Justin Trudeau est devenu premier ministre, il a annulé la décision de ses deux prédécesseurs et signé l'Accord de Paris. Ce qui prouve que très souvent, dans la vie publique, les choses avancent, reculent, avancent…

Cela me rappelle une autre anecdote qui avait fait beaucoup de tapage à l'époque. Sous le gouvernement de Brian

Mulroney, au plus fort de la tempête engendrée par les discussions souvent acrimonieuses autour des accords constitutionnels sans lendemain de Meech et Charlottetown, on se faisait dire que si le Québec n'était pas reconnu dans la Constitution comme une société distincte, ce serait la fin du monde.

Au grand dam d'intellectuels, de journalistes et de politiciens de tous bords, j'avais exprimé la situation dans une métaphore typiquement canadienne en indiquant qu'il ne fallait pas trop s'agiter, car nous étions simplement pris dans un banc de neige.

Et que font les Canadiens en pareilles circonstances ? On ne s'énerve surtout pas… Un petit coup en avant, un petit coup en arrière ; on ne fait pas virer les roues dans le beurre ; on garde contact avec le sol et on finit par se retrouver sur le beau chemin.

Les milieux bien-pensants qui déchiraient leur chemise à cause du bourbier constitutionnel m'ont tiré dessus à boulets rouges et parfois même injurié à cause de ces propos jugés apparemment trop terre-à-terre. Plus de 25 ans ont passé. La « société distincte » n'est pas dans la Constitution et le Québec et le reste du Canada continuent leur mariage de raison sur une terre qui fait toujours l'envie du monde.

49

Adversaires politiques et amis

Comme vous vous intéressez tous à la chose publique, puisque vous lisez ma prose, la partisanerie politique excessive que nous voyons actuellement, en particulier aux États-Unis, m'amène à vous parler des relations entre deux personnages qui se sont fait face à la Chambre des communes pendant des décennies : Joe Clark, député, ministre et premier ministre progressiste-conservateur (PC), et votre humble serviteur, député, ministre et premier ministre libéral.

Quand Joe Clark est devenu député en 1972, il a été mon critique dans l'opposition pour le Nord canadien et les parcs nationaux alors qu'une autre députée nouvellement élue, Flora MacDonald, a été mon critique pour les Affaires indiennes. Ces deux nouveaux députés se sont fait la main à la Chambre des communes à mes dépens. Ils étaient vraiment tous les deux très articulés et m'ont contraint à me défendre avec ténacité. C'est intéressant de constater que nous avons eu tous les trois des carrières remarquées par la suite. Flora est devenue ministre des Affaires étrangères en 1979 et la première femme à détenir ce poste important ; Joe est devenu chef des progressistes-conservateurs dès 1976, premier ministre en 1979 et ministre des Affaires étrangères sous Mulroney. Lors de l'élection fédérale de 2000, il m'a affronté à titre de chef des progressistes-conservateurs (PC). Quant à moi, il faut croire que les coups que m'ont infligés Flora et Joe à la Chambre des communes m'ont aidé à devenir un meilleur politicien, car à partir de 1974, le premier ministre Trudeau m'a promu six fois au Cabinet. Par la suite, je suis devenu chef du Parti libéral et premier ministre du Canada pendant dix ans. Souvent, pour taquiner Joe, je lui dis que je les appelais, sa collègue et lui, la Flora et la Fauna.

Plusieurs semaines avant que Joe Clark devienne le chef des progressistes-conservateurs, je lui avais demandé ce qui allait se passer au congrès de direction du parti pour remplacer le leader démissionnaire Stanfield, et il m'avait répondu que c'était impossible à prévoir. Alors, je lui ai demandé s'il allait lui-même être candidat et il m'avait dit que non. Je lui avais dit qu'il devait se présenter, car il n'avait rien à perdre, puisqu'il était jeune, venait de l'Ouest canadien, était perçu comme un modéré de l'Ontario et était bilingue, chose rare pour un membre du PC de l'Ouest. J'ai terminé ma tirade en lui disant que j'étais sûr qu'il ne gagnerait pas s'il n'était pas candidat.

À la suite de sa victoire, je lui ai envoyé une lettre de félicitations et je lui ai dit que j'avais gagné 20 $ en misant sur sa victoire. Il m'a répondu par lettre qu'il me remerciait pour mes bons vœux et aussi pour les bons conseils que je lui avais donnés avant la course à la direction et m'avait demandé, en passant, s'il y avait quelque chose pour lui dans les 20 $. Quelques jours plus tard, je lui ai parlé à la Chambre des communes et lui ai donné 10 $ en lui disant qu'il les avait bien mérités. Pour le taquiner, je lui ai dit que je lui avais donné ce conseil dans l'intérêt des libéraux et non des conservateurs. Il avait répliqué « on verra bien », et il a eu tout à fait raison, car à l'élection suivante il a gagné contre P. E. Trudeau et est devenu le 16e premier ministre du Canada. Joe et moi avons croisé le fer de 1972 à 2003, soit pendant 31 ans, et lorsque nous avons l'occasion de nous rencontrer, nous avons beaucoup de plaisir à échanger, et je le considère comme l'un de mes amis.

Certains seront étonnés d'apprendre que j'avais également des relations civilisées avec le fameux Pierre Bourgault, qui à l'époque avait fondé le Rassemblement pour l'indépendance nationale (RIN), le parti le plus radical en faveur de la séparation du Québec. Lors d'un débat entre moi et Marcel Faribault, qui était le lieutenant non élu de Robert Stanfield au Québec, et deux pro-séparation, Pierre Bourgault et un autre, Bourgault, qui ne mâchait pas ses mots, avait dit dans sa présentation que tous les députés libéraux fédéraux étaient des nouilles, chose qui m'avait plutôt déplu. Plus tard dans le débat, monsieur Faribault, qui avait été un éminent homme d'affaires, avait dit quelque chose de malheureusement inexact et je l'avais poliment corrigé. Lorsque Bourgault a repris la parole après avoir noté ma correction, il a retiré ses propos précédents en indiquant qu'après tout, ce n'était pas vrai que les députés libéraux étaient tous des nouilles, en tout cas certainement pas moi.

Comme j'appelais toujours ceux qui préconisaient l'indépendance les séparatistes, les ténors du Parti québécois me reprochaient de ne pas bien parler le français parce que je les appelais séparatistes plutôt qu'indépendantistes ou souverainistes. Quant à lui, Pierre Bourgault m'a dit : « Quand tu m'appelles séparatiste, ça ne me choque pas, parce que je suis séparatiste. » Je lui ai répondu : « Quand tu m'appelles maudit fédéraliste, ça ne me choque pas, parce que je suis un maudit fédéraliste. »

Après le référendum de 1995, Bourgault a fait une déclaration qui m'a fort surpris : « Nous n'avons plus qu'un seul gros obstacle à surmonter avant de réussir la séparation : Chrétien n'est pas encore mort. »

Souvent, en discutant avec des amis, je disais que l'approche de Bourgault aurait été beaucoup plus dangereuse que l'étapisme de Claude Morin et le louvoiement de René Lévesque. À propos des lendemains d'un Québec séparé, Bourgault disait en somme : « Nous serons probablement plus pauvres pendant 10 ans, mais en nous retroussant les manches, nous pourrons surmonter les obstacles, et dans une décennie, nous pourrions être la Suède francophone de l'Amérique. » Un soir, un de mes amis m'a dit : « Arrête, Jean ! Tu es en train de nous convaincre… »

Peu de temps avant sa mort, dans un dialogue avec Marie-France Bazzo sur les ondes de Radio-Canada, Bourgault lui a dit qu'il m'avait entendu en entrevue au réseau américain ABC avec George Stephanopoulos sur la guerre en Irak. Mes propos l'avaient tellement impressionné, avouait-il, que si j'étais encore candidat à la prochaine élection, il voterait probablement pour Jean Chrétien. Bazzo avait repris : « Beaucoup auront des crises cardiaques en vous entendant dire que Pierre Bourgault voterait pour Jean Chrétien!» Bourgault avait répliqué : « Non seulement je vous le dis, mais je l'ai déjà écrit… » De la part du fondateur du RIN, que pouvez-vous demander de plus ?

Pour compléter le tableau, après avoir parlé d'un chef conservateur et d'un chef séparatiste, je voudrais vous parler d'un bon ami avec qui nous sommes passés d'opposants sérieux à collaborateurs efficaces : le néodémocrate Roy Romanow. En 1980, il était procureur général de la Saskatchewan et porte-parole des provinces dans les discussions post-référendum qui nous ont amenés à rapatrier la Constitution et à donner aux Canadiens une Charte des droits constitutionnels. Après le référendum, durant tout l'été de 1980, les ministres de la Justice et ceux des relations fédérales-provinciales ont eu des rencontres presque toutes les semaines dans différentes provinces. Et chaque vendredi, Roy Romanow, comme porte-parole des provinces, et moi, comme porte-parole du gouvernement fédéral, tenions une conférence de presse sur l'état de nos travaux. Les journalistes appelaient notre duo le «UK and Tuque», «UK» faisant allusion aux origines ukrainiennes de Roy et «Tuque», à mes racines régionales canadiennes-françaises. À la fin des pourparlers constitutionnels qui ont duré plus de deux ans, nous avons été avec Roy McMurtry, ministre de la Justice de l'Ontario, ceux qui ont élaboré la solution qui a permis de rapatrier de Londres la Constitution, c'est-à-dire donner aux Canadiens une Constitution authentiquement canadienne avec une Charte des droits qui a révolutionné le droit canadien. Comme j'aimais entendre d'autres opinions que celles des fonctionnaires qui m'entouraient et des autres conseillers qui respiraient l'air de la colline du Parlement tous les jours ; j'avais une liste de 15 personnes venant de partout au Canada que j'appelais régulièrement. Ces avis étaient pour moi essentiels pour m'assurer que j'étais dans la bonne voie. Même si Romanow est un néodémocrate, il a toujours été en haut de la liste de ces conseillers inconnus et essentiels. Vingt-cinq ans après mon élection comme premier ministre, il ne se passe pas trois semaines sans que UK et Tuque se parlent. Deux politiciens de couleurs différentes qui sont devenus de bons amis.

Pour Joe Clark, Pierre Bourgault, Roy Romanow et Jean Chrétien, il était possible de jouer sur la patinoire politique avec rudesse et de prendre une bière ensemble une fois la partie terminée.

Conclusion

Quand j'ai commencé à écrire les pages que vous venez de lire, je croyais que seuls les membres de ma famille auraient accès à ces histoires, et mon intention était de leur montrer qu'il est possible de prendre son travail au sérieux sans se prendre soi-même trop au sérieux. L'humour en politique a toujours été un des instruments que j'ai abondamment employés dans ma carrière. Pas toujours avec succès, il faut bien l'admettre, mais le plus souvent ce fut bien reçu, comme vous aurez pu le constater à plusieurs reprises dans ce bouquin.

Je croyais que c'était important alors que nous sommes plongés dans ce nouveau monde de nouvelles instantanées, sans filtre et pas toujours vraies, qui nous assaillent chaque instant sur les réseaux sociaux. Alors que les nouvelles prenaient une journée, voire une semaine à se propager au début de ma carrière en 1963, aujourd'hui, une mauvaise nouvelle est instantanément projetée sur les cinq continents. Les bonnes nouvelles quant à elles font rarement les manchettes.

J'ai d'ailleurs souvent ironisé sur le fait qu'un chien qui mord un homme n'est pas une nouvelle, mais que si à l'inverse un homme mordait un chien, on en ferait tout un plat. Toutefois, il est important de tout mettre en perspective, et j'ai le privilège de pouvoir regarder 55 ans en arrière après avoir été élu député fédéral l'année où Lester B. Pearson est devenu le premier ministre du pays, en 1963. Je ne me souviens pas précisément d'une seule journée pendant toutes ces années où j'ai ouvert un journal, regardé ou écouté un bulletin de nouvelles annonçant que, globalement, ça allait de mieux en mieux dans le monde.

Et pourtant, en avant-propos de son rapport de 2015, l'administratrice du Programme des Nations unies pour le développement, Helen Clark, soulignait les progrès impressionnants réalisés dans le domaine du développement humain au cours des 25 dernières années.

Elle écrivait notamment : « Nous vivons aujourd'hui plus longtemps, davantage d'enfants sont scolarisés et un plus grand nombre de personnes ont accès à l'eau propre et à l'assainissement de base. Le revenu par habitant dans le monde a augmenté tandis que la pauvreté a diminué, rehaussant le niveau de vie d'un grand nombre de personnes. La révolution numérique a bâti des liens entre les individus de pays et de sociétés différents. Le travail a contribué à ce progrès en développant les capacités de chacun. Le travail décent a concouru à la dignité de la personne et ouvert la porte à sa pleine participation à la société. »

Voilà des nouvelles plutôt bonnes sur le front du développement international. De plus, depuis la Deuxième Guerre mondiale, le nombre de conflits armés dans le monde a constamment diminué, même si bien sûr il y en a toujours.

Enfin, dans l'ambiance de « Guerre des étoiles » des années 1980, après avoir atteint des sommets inégalés à la fin du siècle dernier, le stock planétaire d'armes nucléaires a régulièrement baissé. La menace demeure, certes, mais notre capacité collective à la gérer s'est grandement améliorée.

Même situation du côté des mines antipersonnel, dont les stocks continuent de diminuer sous l'impact du traité d'Ottawa signé en 1997 par plus de 120 pays. Le progrès est remarquable, mais là aussi, tout n'est pas parfait, puisque de grands pays comme les États-Unis, la Chine, l'Inde et la Russie n'en sont pas encore signataires.

Les attaques terroristes partout dans le monde et particulièrement en Europe mobilisent encore régulièrement les bulletins de nouvelles, parfois pendant de longues semaines. Longtemps après les événements, les médias nous en font vivre et revivre les horreurs. Le phénomène n'est pourtant pas nouveau puisque, depuis les années 1960, différentes vagues terroristes ont déferlé sporadiquement ici et ailleurs… Qui se souvient du FLQ chez nous, de la Fraction armée rouge, surnommée la bande à Baader, en Allemagne, des Brigades rouges en Italie, de l'Action directe en France, de l'IRA en Irlande du Nord, du Sentier lumineux au Pérou ?

Ces groupes ont vécu et nous avons collectivement surmonté la terreur qu'ils ont laissée derrière eux, comme nous surmonterons celle que les terroristes d'aujourd'hui sèment, notamment al-Qaïda et le soi-disant groupe État islamique.

Entre-temps, ici, au Canada, qu'avons-nous fait pour développer notre pays depuis les années 1960 ? Eh bien, nous nous sommes donné un système universel de soins de santé, que l'on remet régulièrement en question, soit, mais dont nous ne nous priverions pour rien au monde. Nous nous sommes dotés d'un régime de pension de retraite pour tous, qu'il faut là aussi réajuster à l'occasion en fonction de l'évolution démographique du pays. C'est un autre immense progrès collectif dont les détails pourront toujours être revus, mais pas le principe fondamental d'une protection digne pour tous vers la fin de la vie.

Nous avons rapatrié notre Constitution au pays en lui ajoutant une Charte des droits et libertés qui fait l'envie de bien des peuples épris de démocratie. La peine de mort a été abolie. L'avortement n'est plus illégal et peut donc être pratiqué en toute sécurité en protégeant la santé des femmes. Le mariage entre conjoints de même sexe n'est plus un débat, mais une réalité comportant des droits égaux pour tous. Et maintenant, il est possible d'obtenir une aide médicale pour mourir dans la dignité en abrégeant d'insupportables souffrances dont l'issue ne fait aucun doute.

Tous ces éléments témoignent d'un indéniable progrès vers un monde plus équitable, empreint de plus d'humanité. Je crois qu'être un leader dans le monde d'aujourd'hui consiste en grande partie à rappeler d'où nous venons pour illustrer l'extraordinaire chemin parcouru. Il ne s'agit pas de s'auto-congratuler, mais plutôt de noter tout ce dont nous avons été capables au cours des 50 dernières années afin de nous donner l'énergie et la volonté de relever les défis nombreux et toujours plus complexes qui s'érigent devant nous.

La mission d'un véritable leader est de créer une atmosphère positive et optimiste. Une atmosphère qui laisse entendre que le meilleur est toujours à venir, qui donne à chacun d'entre nous l'envie de se dépasser pour atteindre des objectifs porteurs et ambitieux. Il ne s'agit pas de sous-estimer la difficulté de la tâche, mais bien d'éviter l'abattement et de s'y attaquer avec détermination et confiance en soi.

Le leader qui réussit à accomplir cela libère une énergie et un dynamisme extraordinaires autour de lui, le type d'énergie qui, à la longue, finit effectivement par déplacer des montagnes. C'est ce que j'ai essayé de faire toute ma vie.

Au moment de faire le bilan de ma décennie aux commandes du gouvernement à titre de premier ministre, il n'y avait qu'une seule question à poser : est-ce que j'ai laissé le pays en meilleur état que je ne l'ai trouvé ? Ce sera toujours sujet à débat, mais enfin, je crois sincèrement que le Canada se portait mieux en 2003 qu'il ne se portait en 1993.

En effet, lorsque nous avons pris les rênes du gouvernement en octobre 1993, le *Wall Street Journal* écrivait que le Canada était presque devenu un pays du tiers-monde, mais au contraire, à l'automne 2003, la prestigieuse revue britannique *The Economist* affichait en page couverture un orignal portant des lunettes roses coiffé du titre « *Canada Is Cool* » pour illustrer selon son jugement les progrès remarquables accomplis par le Canada sous mon gouvernement. *The Economist* souscrivait ainsi aux conclusions du rapport annuel des Nations unies qui sur ces dix ans a placé huit fois le Canada en tête du classement mondial au chapitre de la qualité de vie. Cela étant dit, notre pays demeure un idéal jeune, inachevé et porteur d'immenses aspirations auxquelles les gouvernements qui se succèdent doivent répondre au meilleur de leurs capacités et avec inspiration selon les défis qui dominent leur époque.

Et ce sont tous les Canadiens et les Canadiennes qui méritent le crédit de nos réalisations. Ce sont eux qui ont fait les choix.

Ce sont eux qui ont appuyé nos politiques et consenti les efforts nécessaires au redressement de notre pays rongé à l'époque par des finances publiques en lambeaux.

Je termine donc ce livre comme je terminais la plupart de mes discours, en affirmant qu'il y a des millions d'hommes et de femmes à travers le monde qui donneraient tout ce qu'ils ont pour venir partager nos supposées misères, car ils savent que le Canada est le pays de la tolérance, du partage, de la générosité, du respect des origines, des langues, des religions, des couleurs de peau, des droits de la personne, etc. Et oui, la vie est belle ici. On peut rêver et réaliser ses rêves.

Vive le Canada !

Annexe

Toast de Monsieur Jacques Chirac, président de la République, à l'occasion du dîner offert en l'honneur de son excellence Monsieur le premier ministre du Canada et de Madame Jean Chrétien

Palais des affaires étrangères – Paris

Mardi 9 décembre 2003

* * *

Monsieur le premier ministre, mon cher Jean,

Ma chère Aline,

Vous recevoir à Paris est pour ma femme et pour moi un plaisir, un bonheur et un honneur. La visite en France du premier ministre du Canada marque toujours un moment fort, un moment d'émotion. Pour tous les Français, le Canada est ce pays immense, cette terre infinie de promesses qui occupe une place particulière dans les cœurs. C'est le souvenir d'un épisode glorieux de notre histoire nationale, qui, malheureusement, s'achève sur une profonde blessure. C'est la fidélité à ses origines d'une communauté livrée à elle-même voici deux siècles et demi et qui sut prospérer, conquérir sa place dans le projet canadien, rester aussi française malgré l'histoire. C'est l'espérance, le rêve d'Amérique, toujours renouvelés.

Cette réussite, cette modernité, vous en êtes, mon cher Jean, tu en es mon cher Jean, l'un des principaux, l'un des très grands artisans. Votre visite intervient à un moment particulier, puisque vous avez décidé, hélas, de vous retirer. Je veux vous dire ce soir mon regret de vous voir quitter vos fonctions que vous avez assumées de façon si éminente, le mot est faible et le jugement est celui de la terre entière et de ses responsables, mais surtout mon admiration pour l'œuvre que vous laissez, et ma gratitude pour les combats que nous avons menés ensemble.

C'est peu dire que votre parcours a été exceptionnel : quarante années de vie publique, trois postes successifs de premier ministre, dans lesquels vous avez investi vos belles qualités d'homme et de chef. Défendant avec ténacité et avec intelligence votre vision du Canada, de sa place en Amérique, de sa place dans les affaires du monde. Emportant, à force de conviction, la décision dans les circonstances les plus âpres, j'en ai été à maintes reprises témoin.

Ce que vous avez accompli au service de votre pays et du message qu'il porte dans le monde est tout à fait considérable. Il n'est guère de domaine où vous n'ayez imprimé votre marque. En souvenir du voyage inoubliable au cours duquel vous m'avez fait découvrir les splendeurs du Grand Nord, en hommage à notre passion commune pour les peuples premiers et notamment les Inuits, permettez-moi d'évoquer votre action comme ministre des Affaires indiennes et du Nord. Vous avez eu à cœur d'aider les membres des Premières Nations à se perpétuer dans la dignité et le plein exercice de leurs droits. Et vous êtes l'un des seuls hommes d'État de la planète à avoir assumé cette responsabilité et à l'avoir fait avec efficacité et dignité pour les peuples dont vous aviez la charge. Cela mérite d'être souligné et cela témoigne d'un cœur particulièrement généreux et d'une intelligence particulièrement émouvante.

Premier ministre, vous avez présidé au mouvement par lequel le pacte constitutif de votre pays a pu être réaffirmé au terme d'un processus exemplaire.

Sous votre autorité, le Canada a retrouvé le chemin de l'équilibre budgétaire, de la croissance, de la création d'emplois dans un monde où, hélas, on connaissait les problèmes et les difficultés économiques et sociales. Le Canada enregistre des performances impressionnantes, qui le placent au premier rang des pays du G8, ça c'est votre œuvre. Ce succès éclatant doit beaucoup à l'action courageuse que vous avez menée notamment pour réformer l'État et restaurer sa situation budgétaire. Les résultats auxquels vous êtes parvenu dans ces domaines forcent notre admiration, car ils sont sans équivalent.

Sur la scène internationale, vous avez sans cesse agi, je peux en témoigner, au nom des valeurs qu'incarne le Canada : la diversité, la solidarité, la paix. Je tiens tout particulièrement à saluer votre engagement au service de la Francophonie au Canada et sur la scène internationale.

Notre monde aujourd'hui a besoin de sécurité. Il a besoin pour cela de justice et de stabilité. Je suis fier que nous nous soyons si souvent retrouvés côte à côte dans les enceintes internationales pour rappeler la primauté du droit, l'importance du multilatéralisme et le devoir de solidarité avec les plus démunis. À titre personnel, j'ai toujours infiniment apprécié de travailler avec vous en amitié, en complicité même, au service de l'idéal que nos deux pays partagent, l'idéal d'un monde où l'emporteront la tolérance, l'équité et l'humanisme.

Ce monde-là, nous avons eu à cœur de le faire progresser. En défendant pied à pied nos positions sur le développement durable. En luttant contre le réchauffement climatique par la ratification, malgré les difficultés, malgré les oppositions, de l'indispensable protocole de Kyoto. En œuvrant à une ouverture responsable du commerce international et des marchés de capitaux. En promouvant avec détermination cette idée neuve qu'est la défense de la diversité culturelle, combat dont nous avons pu, ensemble, saisir la Francophonie et l'Unesco. En soutenant ensemble la création de la Cour pénale internationale et l'interdiction universelle des mines antipersonnel. En faisant front commun pour maintenir et consolider la place centrale que doivent occuper les Nations unies dans le règlement des conflits et des crises internationales. En engageant nos forces armées sur le terrain au service de la paix en Bosnie, en Afghanistan, en Ituri. En œuvrant au service de l'Afrique, à laquelle nous sommes tous les deux très attachés, en nouant avec le NEPAD un partenariat exceptionnel, à Kananaskis, lors du Sommet historique du G8, placé sous votre présidence. Et s'il y eut entre nous, parfois, des différences, elles ont toujours été traitées dans l'esprit de confiance et d'amitié qui marque nos rapports.

Monsieur le premier ministre, mon cher Jean, le Canada est pour la France bien plus qu'un partenaire et bien plus qu'un allié. Affective et profonde, marquée par les liens si intimes noués entre nos peuples, notre relation a gagné depuis dix ans, sous votre impulsion, en force et en intensité. Et je voulais tout simplement vous en remercier avec une profonde reconnaissance.

Ensemble, nous venons de visiter au parc de la Villette la très belle exposition consacrée au Canada d'aujourd'hui et à sa modernité. Elle montre combien votre pays s'est transformé, jusqu'à s'imposer dans la communauté des nations et aux yeux des autres pays développés comme un véritable modèle. Le Canada a beaucoup investi dans sa jeunesse, dans l'éducation, dans la recherche, dans les nouvelles technologies. Vous-même, vous êtes beaucoup engagé dans ce domaine aussi.

En même temps, cette grande exposition lance les commémorations qui vont marquer, tout au long de l'année 2004, le 400e anniversaire de l'arrivée de Samuel de Champlain au Canada.

Cette première installation européenne dans ce pays lointain allait être suivie, quatre ans plus tard, par la fondation de Québec, que nous célébrerons en 2008.

C'était le début d'une très longue amitié entre la France et le Canada. De part et d'autre de l'Atlantique, un lien se nouait que rien jamais, ni l'éloignement, ni les erreurs et les accidents de l'histoire, ni les tragédies, n'a pu défaire. Dans les malheurs, l'indéfectible fidélité des Français du Canada et de leurs descendants s'incarnait dans leur attachement à notre langue. Par leur obstination, ils obligeaient leur pays à ce bilinguisme, à ce dialogue culturel qui fondent aujourd'hui sa force, son génie, sa personnalité. Et grâce à vous j'ai pu, à l'occasion du Sommet francophone de Moncton, célébrer à Memramcook les liens indéfectibles entre la France et les Acadiens.

Cette coopération, cette aventure culturelle difficile mais féconde, ce dialogue entre anglophones et francophones se poursuivent aujourd'hui, avec aussi les cultures et les langues des nations premières que le Canada a pleinement reconnues à votre initiative et sous votre impulsion. Ils s'enrichissent encore des milliers de nouveaux arrivants, femmes et hommes de toutes origines, venus de tous les horizons de la planète exprimer leurs talents et refaire leur vie à la faveur de cette convivialité que l'on ne rencontre que trop rarement ailleurs. Les grandes métropoles canadiennes, qui débordent d'énergie et de vitalité, sont le brillant témoignage de ce dynamisme multiculturel.

Chaque jour, le Canada, terre multiple, terre de différences, cultive et perfectionne dans la paix et la tolérance le goût de vivre ensemble. Il démontre à chaque instant toute la promesse, toute la richesse de l'Autre. En tout cela, je crois, le Canada est pleinement dans le siècle. Il démontre que la diversité est un gage d'ouverture et de succès.

Enfin, c'est à vous deux, mon cher Jean, ma chère Aline, que je veux rendre hommage, à l'occasion de cette soirée d'amitié.

Au terme d'une longue et brillante carrière, pendant laquelle Aline a été la compagne des bons, mais aussi des mauvais jours, une carrière qui vous a laissé peu de répit, peu de temps, une nouvelle vie commence pour vous deux. Bernadette se joint à moi pour vous souhaiter beaucoup, beaucoup de bonheur. Je ne suis pas absolument convaincu que ça durera très longtemps, je parle de la tranquillité. Mais ça, c'est un autre problème.

C'est à ce bonheur, cher Jean, chère Aline, que je lève mon verre, en l'honneur d'un homme d'État exceptionnel et prestigieux, qui a écrit beaucoup de belles et fortes pages de l'histoire de son pays et du monde, et en l'honneur de son épouse, à qui je présente mes très respectueux et affectueux hommages. Je le lève, mon cher Jean, à l'avenir du Canada. Je le lève au lien indéfectible entre le Canada et la France.

Vive le Canada,

Vive la France.

Remerciements

J'ADRESSE MES PLUS SINCÈRES REMERCIEMENTS À MON AMI Patrick Parisot, ambassadeur du Canada à Cuba, et à sa conjointe, Carmen Altamirano, mes premiers lecteurs, recherchistes et éditeurs. Durant plus d'un an, ils ont eu la patience et la générosité de m'accompagner dans ce projet, notamment dans la vérification des dates et des lieux.

Je remercie Catherine Clark d'avoir persuadé son père, Joe Clark, de faire un geste tout à fait spécial en signant la préface de cet ouvrage. Je l'en remercie très sincèrement.

Je tiens également à remercier Louise Crête-Dandurand, Angèle Neveu-Garceau, John Rae, Eddie Goldenberg, Yves Gougoux, Alain Garceau, Bruce Hartley et Denise Labelle. Tous ont lu des passages de mon manuscrit et m'ont fait part de leurs commentaires constructifs.

Je remercie Jean-Marc Carisse, photographe, dont les clichés enrichissent ce livre.

J'exprime enfin ma reconnaissance à Jean-François Bouchard et Pierre Cayouette, des Éditions La Presse, de même qu'à Pamela Murray, de Random House Canada. Je remercie aussi Sheila Fischman et Donald Winkler pour leur excellent travail de traduction du texte français au texte anglais.

Un merci tout particulier, enfin, à ma chère épouse, Aline, pour sa patience légendaire et ses observations qui furent, comme toujours, utiles et pertinentes.